LES ÉPITRES DE
SAINT PAUL
AUX CORINTHIENS

Les traductions et notes de ce fascicule ont été revues, pour le Comité de Direction, par le R. P. Huby, S. J., *Consulteur de la Commission Biblique, et par le* R. P. Spicq, O. P., *Professeur au Saulchoir. Les introductions ont été revues par le* R. P. Golliet, *de l'Oratoire.*

LA SAINTE BIBLE

traduite en français

sous la direction de l'École Biblique de Jérusalem

LES ÉPITRES DE

SAINT PAUL

AUX CORINTHIENS

traduites par le

Chanoine E. OSTY, P. S. S.

Professeur honoraire

à l'Institut Catholique de Paris

(3e édition revue)

LES ÉDITIONS DU CERF

29, boulevard Latour-Maubourg, Paris

1959

NIHIL OBSTAT :

Parisiis, die 4ª decembris 1948.

H. RABOTIN,
Censor dep.

IMPRIMATUR :

Parisiis, die 5ª decembris 1948.

A. LECLERC,
Ep. aux.

PREMIÈRE ÉPITRE
AUX CORINTHIENS

INTRODUCTION

LE MILIEU HISTORIQUE

Fondation de l'Église de Corinthe.
L'Église de Corinthe fut fondée par Paul, lors de son second voyage missionnaire, pendant le séjour de plus de dix-huit mois qu'il y fit de 50 à 52. Voici le récit des Actes des Apôtres (**18** 1-18).

18. ¹ Après cela*a*, Paul s'éloigna d'Athènes et gagna Corinthe. ² Il y trouva un Juif nommé Aquila, originaire du Pont*b*, qui venait d'arriver d'Italie avec Priscille*c*, sa femme, à la suite d'un édit de Claude qui ordonnait à tous les Juifs de s'éloigner de Rome. Il se lia avec eux, ³ et comme ils étaient du même métier, il demeura chez eux et y travailla. Ils étaient de leur état fabricants de tentes*d*. ⁴ Chaque sabbat, il discourait à la synagogue et s'efforçait de persuader Juifs et Grecs *e*.

---

a) Après son échec d'Athènes, Paul arrive à Corinthe, inquiet sur le sort des Églises de Macédoine récemment fondées (1 Th **2** 17-3 5), effrayé par l'immensité de la tâche et la solitude où le réduit l'absence de ses collaborateurs, Silas et Timothée, envoyés en mission, dénué de ressources et peut-être malade (1 Co **2** 3).

b) Province romaine située au sud-est du Pont-Euxin (mer Noire).

c) On ne sait s'ils étaient déjà chrétiens.

d) Ce ménage, aux fréquents déplacements (Ac **18** 18, 26; 1 Co **16** 19; Rm **16** 3; 2 Tm **4** 19), devait avoir une entreprise d'une certaine importance.

e) Il s'agit des païens sympathisant avec le judaïsme, désignés souvent par l'appellation de « craignant Dieu ».

⁵ Quand Silas et Timothée furent arrivés de Macédoine, Paul se consacra tout entier à la parole*a*, attestant aux Juifs que Jésus est le Christ. ⁶ Mais devant leur opposition et leurs paroles blasphématoires, il secoua ses vêtement*b* et leur dit : « Que votre sang retombe sur votre tête*c* ! Pour moi, je suis pur, et désormais c'est aux païens que j'irai. » ⁷ Alors, se retirant de là, Paul se rendit*d* chez un nommé Titius Justus, homme adorant Dieu, dont la maison était contiguë à la synagogue. ⁸ Crispus, le chef de la synagogue, crut au Seigneur avec tous les siens. Beaucoup de Corinthiens qui entendaient Paul embrassaient également la foi et se faisaient baptiser*e*.

⁹ Une nuit, dans une vision, le Seigneur dit à Paul : « Sois sans crainte*f*. Continue de parler, ne te tais pas. ¹⁰ Car je suis avec toi, et personne ne mettra la main sur toi pour te faire du mal, parce que j'ai à moi un peuple nombreux dans cette ville. » ¹¹ Il séjourna là un an et six mois, enseignant aux gens la parole de Dieu.

¹² Alors que Gallion était proconsul d'Achaïe*g*, les Juifs se soulevèrent d'un commun accord contre Paul et l'amenèrent devant le tribunal, ¹³ en disant : « Cet individu cherche à persuader les gens d'adorer Dieu d'une manière contraire à la Loi. » ¹⁴ Paul allait ouvrir la bouche,

---

a) Silas et Timothée rassuraient Paul sur le sort des communautés de Macédoine (1 Th **3** 6). Peut-être aussi lui apportaient-ils des secours financiers (2 Co **11** 9).

b) Pour marquer qu'il ne voulait plus rien avoir de commun avec eux. Cf. dans le même sens Mt **10** 14.

c) Les Juifs, ayant refusé de croire, sont seuls responsables des malheurs que pourrait attirer sur eux leur incrédulité.

d) Non pour y loger, mais pour enseigner.

e) Compléter ces indications sommaires sur le labeur apostolique de Paul par 1 Co **2** 1-5; **9** 1-27; 2 Co **11** 7-10; **12** 13-15; Ac **20** 19-21, 27, 31, 33-35; 1 Th **2** 5-12; 2 Th **3** 8-9.

f) Paul a donc eu peur. Sans doute a-t-il couru quelque grave péril.

g) Gallion était le frère de l'écrivain Sénèque. La province romaine d'Achaïe, dont le chef-lieu était Corinthe, avait à peu près les mêmes limites que la Grèce contemporaine. — Une inscription trouvée à Delphes en 1905 a permis de fixer la date du proconsulat de Gallion : printemps 51-printemps 52 (52-53 ?). Il est vraisemblable que la tentative des Juifs a eu lieu peu de temps après l'entrée en charge du proconsul.

quand Gallion dit aux Juifs : « S'il était question de quelque délit ou méfait, j'accueillerais, ô Juifs, votre plainte, comme de raison. [15] Mais puisqu'il s'agit de contestations sur des mots et des noms et sur votre propre loi, à vous de voir ! Être juge, moi, en ces matières, je m'y refuse. » [16] Et il les renvoya du tribunal. [17] Tous alors se saisirent de Sosthène, le chef de la synagogue, et, devant le tribunal, se mirent à le battre. Et de tout cela Gallion n'avait cure.

[18] Paul resta encore un certain temps à Corinthe[a], puis il prit congé des frères et s'embarqua pour la Syrie; Priscille et Aquila l'accompagnaient. Il s'était fait tondre la tête à Cenchrées[b], à cause d'un vœu qu'il avait fait.

L'Église de Corinthe. A son départ, Paul laissait à Corinthe une communauté florissante. Il est impossible d'en évaluer exactement l'importance numérique. Mais tout ce que nous savons — témoignage des Actes (**18** 8, 10, 11, 18), existence des partis, multiplicité des cas de conscience, turbulence des esprits — donne à penser que l'Église de Corinthe était de beaucoup la plus importante des fondations faites jusque-là par l'Apôtre. — Les éléments qui la composaient étaient fort hétérogènes : romains, comme Caïus, Fortunatus, Tertius, Quartus; grecs, comme Éraste (Rm **16** 23); juifs, comme Crispus; syriens, égyptiens, levantins de toute provenance venus à Corinthe pour gagner leur vie, faire des affaires ou se livrer aux plaisirs. Les Juifs étaient certainement une petite minorité. — Dans ce groupe bariolé de races et de cultures, peu de riches, peu de gens de haute naissance (1 Co **1** 26-28), mais une majorité de petites gens, humbles artisans, portefaix, débardeurs, etc. L'élément servile, dans cette ville qui comptait des centaines de milliers d'esclaves, doit avoir été nombreux. Bref, une image fidèle des premières Églises, recrutées surtout parmi les humbles et les déshérités de la vie :

---

a) Si ce laps de temps doit être ajouté aux dix-huit mois du v. 11, le séjour de Paul à Corinthe aurait duré environ deux ans.

b) Un des deux ports de Corinthe, sur le golfe Saronique.

elegit ea quae non sunt. — Il faut noter d'ailleurs que l'action de Paul avait débordé les limites de la ville et que le nom de Jésus avait retenti dans mainte cité d'Achaïe (2 Co **1** 1; **9** 2).

La jeune communauté était active et fervente. Nulle part l'Esprit n'avait départi avec autant de générosité ses dons extraordinaires — ses *charismes,* comme l'on dit souvent. Paul en félicite ses enfants : « Je ne cesse de remercier Dieu à votre sujet pour la grâce divine qui vous a été donnée dans le Christ Jésus. En lui vous avez été comblés de toutes les richesses, toutes celles de la parole et toutes celles de la science » (1 Co **1** 4-5). Dans aucune de ses lettres, nous ne trouvons mentionnées autant de manifestations de l'Esprit. Les Corinthiens en étaient, certes, un peu naïvement fiers; mais cela n'enlève rien aux richesses que leur avait prodiguées la grâce de Dieu. Avec cela, un évident désir de comprendre et d'approfondir les données de la nouvelle religion, d'en discerner les exigences et d'y conformer leur vie.

Ce n'était pas chose si aisée. On ne devient pas chrétien en un jour. On ne se détache pas en une fois et brusquement de son passé religieux, intellectuel et moral, de ce dernier surtout. Or beaucoup de membres de la jeune communauté avaient un passé lourd; Paul y fait une allusion discrète, mais significative (1 Co **6** 9-11). Avec sa prospérité de grande cité maritime, industrielle et commerciale, qui avait entraîné un afflux considérable de population de toute origine, Corinthe avait vu s'accroître les tentations qu'entraîne toujours la richesse et que favorise l'agitation fébrile des grands ports. Sa prérogative de chef-lieu de la province d'Achaïe ajoutait encore à son prestige et attirait une foule de jeunes Romains qui venaient y faire l'apprentissage de leurs sens. La religion même favorisait le culte de la chair; les nombreuses prostituées du temple de l'Acrocorinthe voué à l'Aphrodite Pandémos étaient un appât quotidien. Bref, Corinthe était comme la capitale de la luxure dans le monde méditerranéen du premier siècle après Jésus Christ. Il y avait là pour les chrétiens un danger permanent.

L'esprit grec en était un autre. La Corinthe du temps de saint Paul n'était pas l'antique cité, célèbre par ses tyrans, ses vases, ses trières, ses jeux, ses écoles, ses conflits avec Athènes; ce foyer de gloire, cette « lumière de toute la Grèce » (Cicéron), avait disparu sous les coups du sauvage Mummius en 146. Mais, rebâtie par César exactement un siècle plus tard et peuplée d'abord de vétérans et d'affranchis romains, elle avait vu accourir à elle d'authentiques enfants de la Grèce et avait recouvré peu à peu l'esprit d'autrefois. On peut dire sans exagération qu'au jour où Paul en franchit les portes, elle était hellénisée; bientôt Elius Aristide vantera le nombre de ses écoles et de ses gymnases, le renom de ses philosophes et de ses lettrés... A Corinthe, le christianisme entrait pour la première fois en contact avec l'esprit grec. Or cet esprit était loin de concorder avec celui de la nouvelle religion. Curieux, inquiet, épris de nouveauté, passionné pour les joutes de l'intelligence et du verbe, désireux de briller, de contredire et de prendre parti, aisément sceptique, indépendant et léger, comment se plierait-il à l'austère discipline de l'autorité et de la tradition ? Plein d'admiration pour la beauté des formes et le charme du monde, accepterait-il aisément le « langage de la Croix » ? Avide d'équilibre et d'eurythmie, comment accueillerait-il les exigences du renoncement chrétien ? La logique chrétienne ne serait-elle pas inassimilable pour la logique hellénique ?

Autre danger. Les religions à mystères, les cultes orientaux avaient développé le goût des manifestations tumultueuses, souvent lascives, presque toujours morbides, du sentiment religieux : extases, rapts, processions orgiastiques; exaspération de toutes les puissances troubles de l'esprit et du corps, déconcertante synthèse des aspirations les plus nobles et des viles passions qui habitent les sens. Les dons de l'Esprit, dont la jeune Église était si abondamment pourvue, ne risquaient-ils pas de s'avilir au souvenir et au contact de ces expériences malsaines ?

La vie quotidienne aussi posait ses problèmes. Quelle conduite tenir dans le mariage ? Quels nouveaux devoirs la nouvelle religion imposait-elle aux croyants ? La continence complète était-elle supérieure à l'usage légitime ? Pouvait-on se marier ou fallait-il garder le célibat ? Quelle attitude devait-on prendre vis-à-vis des païens, parents ou amis ? Fallait-il rompre toute relation avec eux ou pouvait-on continuer à les fréquenter ? Dans cette société où la plupart des actes de la vie familiale, sociale et publique s'accompagnaient de pratiques religieuses, qu'est-ce qui était permis ? de quoi fallait-il s'abstenir ? Pouvait-on prendre part aux repas sacrés, acheter au marché des viandes qu'on savait avoir été immolées aux idoles, accepter des invitations où l'on courait le risque de s'en voir offrir ? Pouvait-on encore recourir aux tribunaux de la cité ? L'esclave croyant devait-il continuer à servir un maître incroyant ? Et si un « frère » venait à prévariquer gravement, comment le traiter ? Tous problèmes dont quelques-uns nous paraissent faciles à résoudre, mais que leur nouveauté même rendait épineux. En un mot, comment dans un milieu païen conserver intact le message de Jésus ?

VERS LA PREMIÈRE AUX CORINTHIENS

La communauté ne tarda pas à avoir recours aux lumières de Paul. Nous savons par quelques versets de la Première aux Corinthiens (5 9-13) que l'Apôtre fut consulté sur la conduite à tenir à l'égard des « impudiques ». Il répondit par une lettre qui n'a pas été conservée et qu'on appelle souvent « précanonique », et, soit imprécision de sa part, soit malignité de quelques-uns de ses correspondants, soit pour toute autre cause, sa pensée fut mal interprétée. De cette lettre, certains critiques ont, sans arguments suffisants, proposé de voir un passage dans 2 Co 6 14-7 1. L'incident paraît d'ailleurs avoir été sans gravité.

L'arrivée d'Apollos (Ac 18 24-28) eut de plus lourdes conséquences. Ce néophyte fervent et cultivé produisit une profonde impression. Originaire d'Alexandrie, il connaissait certainement la méthode allégorique de Philon et charmait son auditoire à la fois par son ingénieuse interprétation des Écritures, son ardente conviction, et la valeur littéraire de sa parole. L'éloquence de Paul, abrupte, saccadée, familière, dut, par comparaison, paraître barbare à plus d'un parmi ces amateurs de beau langage. On s'engoua du nouveau prédicateur, on le vanta au détriment de Paul; on « fut pour lui ».

Dans le même temps paraissaient à Corinthe — ce carrefour des routes maritimes de la Méditerranée — des chrétiens qui se recommandaient de Céphas-Pierre (1 12)[a]. La haute autorité du chef des Douze donna du relief à leurs personnes et à leurs discours. Certains membres de la communauté, plus sensibles à la valeur du témoignage et à la qualité du témoin qu'aux arguties de la spéculation, s'attachèrent aux nouveaux venus et donnèrent leur admiration à leur garant : ils « furent pour Céphas ».

Notre épître mentionne un autre groupe de fidèles qui se disaient « du Christ » (1 12). Les discussions sans fin auxquelles s'est livrée la critique n'ont pas réussi à identifier ce parti d'une manière sûre. Pour certains, ce seraient des judaïsants, c'est-à-dire des chrétiens encore attachés aux pratiques du judaïsme, et qui se faisaient gloire d'être des disciples de ceux qui avaient connu le Christ de leurs yeux de chair. Le P. Allo y voit les « laxistes, antinomistes, rationalistes, faux mystiques », dont le mot d'ordre était : « tout m'est permis », et après bien des hésitations, revenant sur l'opinion exprimée dans la 1re édition, nous nous rangeons à ce point de vue.

Ainsi la discorde s'introduisait dans l'Église. Le péril immédiat, certes, n'était pas alarmant; la foi n'était pas menacée. Nulle part Paul n'insinue que les fidèles de Corinthe fussent divisés sur le fond des choses. Il n'en restait pas moins que le bon ordre, la charité, l'unité souffraient de cet attachement immodéré à certains prédicateurs. Mais surtout, si l'on

---

a) Peut-être Céphas lui-même fit-il à Corinthe un séjour de courte durée.

n'y prenait garde, le sens même du message évangélique risquait d'être faussé. Si les croyants se groupaient autour de tel ou tel apôtre préféré, si les qualités de sa personne, de son savoir ou de son langage étaient des motifs suffisants pour prendre parti pour lui au détriment des autres, la nouvelle doctrine risquait fort de n'être pour les esprits qu'une nouvelle source de divisions. Le message évangélique se transformait en thèmes à discussion, les apôtres en marchands de sagesse humaine. Que devenaient le Christ et sa Croix ?

Paul ne tarda pas à être au courant de cette agitation. D'Éphèse, où il s'était établi, les relations étaient faciles avec Corinthe, et, quand on sait la sollicitude de l'Apôtre pour les Églises qu'il avait fondées (2 Co **11** 28), on devine avec quel soin il devait s'informer sur la vie d'une communauté qui lui tenait tant à cœur. Apollos, mécontent du rôle que lui faisaient jouer ses admirateurs, avait rejoint Éphèse, et il n'avait pas manqué de l'instruire de l'état des esprits. Mais des renseignements plus précis lui vinrent par l'intermédiaire des « gens de Chloé » (1 Co **1** 11), une industrielle, peut-être chrétienne, de Corinthe ou d'Éphèse. La situation était devenue telle que Paul ne pouvait manquer d'intervenir.

D'ailleurs d'autres mauvaises nouvelles lui parvenaient de sa jeune Église. Il courait sur son compte de vilaines rumeurs. On tenait chez elle d'étranges propos sur le droit à la débauche. Certains niaient ouvertement la résurrection des corps. Un cas d'inceste s'était produit dans la communauté, et aucune sanction n'avait été prise. Entre « frères » surgissaient des conflits d'intérêts et, pour les régler, on avait recours aux tribunaux païens. Les réunions liturgiques étaient l'occasion de toutes sortes d'abus... Décidément, dans bien des domaines, l'esprit païen prenait sa revanche.

Paul avait peut-être déjà décidé d'écrire, quand il reçut une lettre de la communauté de Corinthe, qui le consultait sur un certain nombre de questions (1 Co **7** 1). Cette lettre lui fut probablement remise par une délégation composée de Stéphanas, Fortunatus et Achaïcus. Il est malaisé de définir les points sur lesquels on demandait les lumières du fondateur et père. On l'interrogeait certainement sur tous les problèmes du mariage et de la virginité (**7**), peut-être aussi sur les viandes immolées aux idoles et la participation aux repas sacrés (**8-10**), peut-être encore sur les dons de l'Esprit (**12-14**). En tout cas, l'invitation était pressante, et Paul ne pouvait plus différer. Il avait d'ailleurs à entretenir les Corinthiens d'un sujet qui lui tenait à cœur, la collecte en faveur des « saints » de Jérusalem (**16** 1-4), et à recommander Timothée, qu'il envoyait en mission auprès de sa chère communauté (Ac **19** 22; 1 Co **4** 17; **16** 10-11).

C'est dans ces conditions et pour faire face à cette situation si complexe que, vers le printemps de l'an 55 (1 Co **5** 5-8), Paul écrivit d'Éphèse sa « première lettre aux Corinthiens ».

PLAN DE L'ÉPITRE

Le plan est simple. Après l'adresse, la salutation et l'action de grâces, Paul traite une à une les diverses questions que lui posent la situation de l'Église de Corinthe et la consultation qui lui a été adressée. Il est d'ailleurs vraisemblable que sa lettre a été écrite en plusieurs fois, et que de nouveaux problèmes ont surgi en cours de rédaction. Voici le plan détaillé :

PRÉAMBULE (**1** 1-9).
Adresse et salutation. Action de grâces.

PREMIÈRE PARTIE (**1** 10-**6** 20). Divisions et scandales.

1. *Divisions entre fidèles au sujet des prédicateurs* (**1** 10-**4** 21) :

   A. Elles font fi du caractère indivisible du Christ (**1** 10-16).

   B. Elles ont leur source :
   - *a.* dans une fausse conception de la sagesse chrétienne (**1** 17-**3** 4).
   - *b.* dans une fausse conception du rôle des prédicateurs (**3** 5-17).

17

C. Conclusions pratiques (**3** 18-**4** 13).

D. Admonestations (**4** 14-21).

2. *Le cas d'inceste* (**5** 1-13).

3. *L'appel aux tribunaux païens* (**6** 1-11).

4. *La fornication* (**6** 12-20).

DEUXIÈME PARTIE (**7** 1-**14** 40). Solution de divers problèmes de la vie morale et liturgique.

1. *Mariage et virginité* (**7** 1-40).

2. *Les viandes immolées aux idoles ou « idolothytes »* (**8** 1-**11** 1).

A. Aspect théorique (**8** 1-**10** 13) :

    a. le point de vue de la « science » (**8** 1-6).

    b. le point de vue de la charité et l'exemple de Paul (**8** 7-**9** 27).

    c. le point de vue de la prudence et les leçons du passé d'Israël (**10** 1-13).

B. Aspect pratique : solution des cas de conscience (**10** 14-30).

C. Conclusion (**10** 31-**11** 1).

3. *Le bon ordre dans les assemblées religieuses* (**11** 2-**14** 40).

A. La tenue des femmes (**11** 2-16).

B. Le « Repas du Seigneur » (**11** 17-34).

C. Les dons spirituels ou « charismes » (**12** 1-**14** 40).

    a. Principe souverain du discernement des esprits (**12** 1-3).

    b. Les « charismes », si divers soient-ils, ont même origine, l'Esprit, et même fin, l'utilité commune. Comparaison du corps (**12** 4-30).

c. La hiérarchie des « charismes » :

    α) au-dessus de tout plane la Charité : Hymne à la Charité (**12** 31-**13** 13).

    β) la hiérarchie des « charismes » s'établit d'après l'importance des services qu'ils rendent à la communauté. En particulier, la « prophétie » l'emporte sur le don des langues ou « glossolalie » (**14** 1-25).

D. Règles pratiques (**14** 26-40).

TROISIÈME PARTIE (**15** 1-58). La Résurrection des morts.

    1. *Le fait* (**15** 1-34).

    2. *Le mode* (**15** 35-53).

    3. *Hymne triomphal et conclusion* (**15** 54-58).

CONCLUSION (**16** 1-24). Recommandations. Salutations. Souhait final.

VALEUR PERMANENTE DE L'ÉPITRE

De tout ce qui vient d'être dit, il ressort que la Première aux Corinthiens est, comme presque toutes les lettres de Paul, un écrit de circonstance. Elle répond à une situation précise, à des problèmes locaux, à des cas de conscience bien déterminés. Il semblerait donc qu'elle ait perdu de son actualité et qu'elle ne doive intéresser vraiment que les historiens de l'Église primitive. Et il en serait de la sorte, si celui qui l'a écrite n'avait été qu'habile casuiste ou prudent pasteur. Mais Paul appartient à la race des grands, qui ont le privilège d'ennoblir tout ce qu'ils touchent. Il possède à un rare degré le don de tout voir, de tout comprendre, de tout régir des sommets. La plus petite de ses décisions est prise dans la lumière du

Christ, centre de sa pensée comme de sa vie. Qu'il s'agisse de fornication, d'inceste, de recours aux tribunaux païens, des problèmes épineux du mariage, de la résurrection des corps, c'est toujours au Christ qu'il se réfère. Voilà pourquoi, même en dehors des cas où il traite *ex professo* de telle ou telle question dogmatique, l'œuvre de Paul est extraordinairement riche en enseignements sur le mystère chrétien. Elle est un témoin, un incomparable témoin, spontané et sincère, de sa foi et de celle de ses correspondants. On a dit avec une entière exactitude que notre épître est « un catéchisme complet, dont les divers articles sont groupés autour de la Croix » (Allo). Inutile d'insister sur ce point. Le lecteur chrétien se rendra compte avec joie que sa foi est bien celle que les Corinthiens professaient moins de vingt-cinq ans après la mort de Jésus.

Une des plus vives préoccupations de l'Apôtre est de ramener ses lecteurs à l'intelligence de la vraie « sagesse ». Celle-ci ne saurait être un fruit de l'esprit humain. Livrée à elle-même, gâtée par l'orgueil et obscurcie par les sens, la raison humaine a fait faillite. Elle ne peut se régénérer qu'en s'humiliant devant la Croix. Jésus et Jésus crucifié est le seul vrai sage, le seul dispensateur de l'authentique sagesse, mystérieuse et cachée, inconnue des hommes, et révélée aux croyants par l'Esprit, qui scrute tout jusqu'aux profondeurs de Dieu. Ainsi s'ouvrent à la méditation du chrétien des perspectives infinies... Les prédicateurs ne sont que les messagers, les intendants de ce mystère de grâce; ils n'ont pas à inventer, mais à transmettre; toute infidélité de leur part entraînerait un châtiment sévère : « Je vous ai transmis ce que moi-même j'avais reçu », écrit Paul (**15** 3), inaugurant déjà la formule qui sera la loi de l'Église : *Nihil innovetur, nisi quod traditum est*. La pierre de touche de la valeur des révélations de l'Esprit est précisément leur accord avec la règle de foi. On le voit, ces deux fondements de l'édifice catholique, autorité et tradition, sont solidement posés. Liberté intérieure et contrôle de l'Église vont de pair.

De cette Église, Paul entend assurer la décence et l'honneur. Elle est le corps du Christ; d'elle on peut dire, comme de chaque chrétien, qu'elle « a été bel et bien achetée », et qu'il faut donc veiller à sa gloire. Les croyants doivent la respecter dans leur conduite, et éviter soigneusement tout ce qui pourrait la déconsidérer aux yeux des païens : avidité dans les affaires, dérèglement des mœurs, étalage de leurs querelles d'intérêt devant les tribunaux de la cité, désordres dans la tenue de leurs assemblées (beuveries, immodestie des femmes, extravagances dans la manifestation des dons spirituels) : « Que tout se passe dignement et dans l'ordre » (**14** 40); « Dieu n'est pas un Dieu de désordre, mais de paix » (**14** 33). — Surtout chacun de ses membres doit veiller jalousement à la maintenir dans sa force et dans son unité. Aucun croyant n'a le droit de se prévaloir de ses lumières pour scandaliser son « frère »; la charité limite les droits de la science, car « la science enfle, c'est la charité qui édifie » (**8** 1). Celui qui se croit fort doit respecter les scrupules des faibles, ne pas « chercher son intérêt personnel, mais celui du plus grand nombre, afin qu'ils soient sauvés » (**10** 33). De même, parmi les dons de l'Esprit, on doit préférer ceux qui sont utiles au bien commun. Bref, la charité, qui assure la paix et l'édification, doit régler toute la conduite des croyants.

Mais, pour appartenir à l'Église, le chrétien n'est pas exclu de la cité. Il n'a pas à sortir du monde (**5** 10). Les directives que donne Paul sont un excellent commentaire de la parole du Maître : « Je ne te demande pas de les retirer du monde, mais de les garder du mal » (Jn **17** 15). Certes, le croyant doit s'abstenir d'assister aux banquets sacrés idolâtriques (**10** 21); ce serait une participation au culte païen qui appellerait la vengeance divine. Mais il peut continuer à fréquenter parents et amis, même si leur conduite ne se règle pas sur les principes de la morale chrétienne (**5** 10-13). Il lui est permis d'acheter des viandes au marché, sans se demander si elles proviennent ou non d'un sacrifice fait aux idoles, et même d'accepter des invitations où il y a chance qu'on lui offre de tels mets. Les obligations du mariage demeurent; seule l'impossibilité de cohabiter pacifiquement pourrait les rompre. La règle est de demeurer dans l'état où l'appel de Dieu a trouvé le croyant (**7** 17, 20, 24). L'esclavage n'est pas exclu de cette prescription. Qu'il suffise à l'esclave d'être un « affranchi du Seigneur ». Le monde, avec sa figure changeante qui passe si rapidement, ne vaut pas la peine que l'on se préoccupe à tel point de ce qui est éphémère...

Telles sont les directives que Paul donne à ses enfants de Corinthe. Il le fait dans une langue simple, celle de tous les jours, sans vulgarité comme sans recherche. Mais il y met la marque de son génie. Son style est net, franc, vigoureux. Il a le don de la formule exacte, pleine, sonore, qui défie l'usure des siècles. Elle lui vient comme d'elle-même, il ne la cherche pas; jamais écrivain ne fut moins auteur; jamais éloquence ne fut plus spontanée. Paul est naturellement orateur; il est toujours un homme qui parle à un homme. Sa fougue intérieure se traduit par un mouvement torrentiel qui emporte irrésistiblement. Sa sensibilité frémissante s'exprime en une variété de tons extraordinaire : simplicité de l'entretien, densité de la dialectique, ironie, sarcasmes, explosions de tendresse, indignation... Et puis, dans les instants les plus pathétiques, éclatent les accents de triomphe d'un incomparable lyrisme. Toute son âme chante, une âme profonde et passionnée, éprise de grandeur et dévorée d'amour...

Tant de qualités assurent à la Première aux Corinthiens une place de choix parmi les lettres de saint Paul. Il en est de plus profondes (Romains), de plus vibrantes (Galates), de plus dramatiques (Deuxième aux Corinthiens). Mais elle l'emporte incontestablement par le grand nombre de problèmes qui s'y trouvent posés, par l'audace et la sagesse des solutions de Paul, par la fermeté du raisonnement et la haute tenue du style. Paul se montre à nous dans la plénitude de son génie. Aussi cette épître a-t-elle mérité de devenir classique.

PREMIÈRE ÉPITRE
AUX CORINTHIENS

PRÉAMBULE

Adresse et salutation.
Action de grâces.

1. ¹ Paul, appelé à être apôtre du Christ Jésus par la volonté de Dieu, ainsi que Sosthène*ᵃ*, le frère, ² à l'Église de Dieu établie à Corinthe, à ceux qui ont été sanctifiés dans le Christ Jésus, appelés à être saints avec tous ceux qui en quelque lieu que ce soit*ᵇ* invoquent le nom de Jésus Christ notre Seigneur, le leur et le nôtre; ³ à vous grâce et paix de par Dieu, notre Père, et le Seigneur Jésus Christ !

⁴ Je ne cesse de rendre grâces à Dieu à votre sujet pour la grâce de Dieu qui vous a été donnée dans le Christ Jésus. ⁵ En lui, en effet, vous avez été comblés de toutes les richesses, toutes celles de la parole et toutes celles de la

---

1 1. « *du Christ Jésus* » B D G P⁴⁶ *quelques minuscules* ; « *de Jésus Christ* » S A *et un grand nombre de minuscules.*

4. « *Dieu* » S B ; « *mon Dieu* » A D *et bon nombre d'onciaux.*

---

a) Il n'y a aucune raison de l'identifier avec le chef de la synagogue dont il est question Ac **18** 17.

b) Dès le début, Paul invite les Corinthiens à la modestie, en les mettant sur le même plan que leurs frères dans la foi (cf. **4** 7, 17; **7** 17; **11** 16; **14** 33, 36).

science[a], [6] à raison même de la fermeté qu'a pris en vous le témoignage du Christ[b]. [7] Aussi ne manquez-vous d'aucun don de la grâce, dans l'attente où vous êtes de la Révélation[c] de notre Seigneur Jésus Christ. [8] C'est lui qui vous affermira jusqu'au bout, pour que vous soyez irréprochables au Jour de notre Seigneur Jésus Christ. [9] Il est fidèle[d], le Dieu par qui vous avez été appelés à la communion de son Fils, Jésus Christ notre Seigneur.

I

DIVISIONS ET SCANDALES

I. LES PARTIS DANS L'ÉGLISE DE CORINTHE

Les divisions entre fidèles.

[10] Je vous en conjure, frères, par le nom de notre Seigneur Jésus Christ, ayez tous même sentiment; qu'il n'y ait point parmi vous de divisions; soyez bien unis dans le même esprit et dans la même pensée[e]. [11] En effet, mes frères, il m'a été rapporté à votre sujet par les gens de

---

a) Voir **12** 8 et la note.

b) C'est-à-dire le témoignage rendu au Christ. On peut aussi traduire : « à raison même de la fermeté qu'a pris *chez* vous le témoignage du Christ » et y voir une allusion aux miracles et aux effusions de l'Esprit qui ont accompagné la prédication de Paul.

c) Un des termes qui désignent le retour glorieux de Jésus Christ à la fin des temps. Au v. 8, le même retour est désigné par l'expression « le Jour de notre Seigneur Jésus Christ », en **3** 13 par « le Jour », en **5** 5 par « le Jour du Seigneur », en **15** 23 par « l'Avènement « (Parousie).

d) La fidélité (fermeté, vérité, véracité) de Dieu est un des thèmes préférés de l'A. T. Paul y fait volontiers appel, 1 Co **10** 13; 2 Co **1** 18; 1 Th **5** 24; 2 Th **3** 3; He **10** 23; **11** 11.

e) Cf. Rm **12** 16; **15** 5; 2 Co **13** 11; Ph **2** 2; **4** 2.

Chloé*a* qu'il y a parmi vous des discordes. [12] J'entends par là que chacun de vous dit : « Moi, je suis pour Paul*b*. » — « Et moi, pour Apollos. » — « Et moi, pour Céphas. » — « Et moi, pour le Christ*c*. » [13] Le Christ est-il divisé ? Serait-ce Paul qui a été crucifié pour vous ? Ou bien serait-ce au nom de Paul que vous avez été baptisés ? [14] Je rends grâces de n'avoir baptisé aucun de vous, hormis Crispus et Caïus*d*, [15] si bien que nul ne peut dire que vous avez été baptisés en mon nom. [16] Ah si ! j'ai baptisé encore la famille de Stéphanas*e*. Je ne sache point par ailleurs avoir baptisé quelqu'un d'autre.

Sagesse du monde et sagesse chrétienne.

[17] Car le Christ ne m'a pas envoyé baptiser, mais annoncer l'Évangile, et sans recourir à la sagesse*f* du langage, pour que ne soit pas réduite à néant*g* la croix du Christ. [18] Le langage de la croix est en effet folie pour ceux qui se perdent, mais pour ceux qui se sauvent, pour nous, il est puissance de Dieu. [19] Car il est écrit*h* : *Je détruirai la* Is **29** 14

---

14. « *Je rends grâces* » S B *quelques minuscules ;* « *je rends grâces à Dieu* » A D *nombre d'onciaux lat.*

---

a) On ne sait au juste ce qu'était cette Chloé; probablement une industrielle ou une commerçante, qui avait un personnel d'esclaves, d'affranchis et d'hommes libres.

b) Litt. « de Paul » : j'appartiens à Paul, je suis du parti de Paul.

c) Sur *Apollos, Céphas* et le *parti du Christ,* voir Introduction, p. 15.

d) Sur Crispus, voir Ac **18** 8. Sur Caïus, voir Rm **16** 23, où Paul le qualifie de « mon hôte et celui de l'église entière ».

e) Sur Stéphanas, cf. **16** 15 et 17.

f) Par *sagesse,* il faut entendre toute compétence, de quelque domaine qu'elle soit (pensée, art, politique, etc.), qui repose sur une étude approfondie. Paul veut dire que sa prédication n'emprunte rien aux spéculations de la pensée ni aux artifices de la rhétorique. Il lance ainsi dès l'abord un défi à cette « sagesse » dont les Corinthiens étaient si friands.

g) Litt. « vidée » (de son contenu).

h) Le texte est cité d'après les Septante. Hébreu : « La sagesse de ses sages (d'Israël) restera courte; l'intelligence de ses docteurs s'obscurcira. »

sagesse des sages, j'anéantirai l'intelligence des intelligents.
Is **33** 18 LXX   ²⁰ *Où est-il, le sage ? Où est-il, l'homme cultivé ?* Où est-il,
le raisonneur d'ici-bas ? Dieu n'a-t-il pas frappé de folie
la sagesse du monde ? ²¹ Puisque en effet le monde, par le
moyen de la sagesse, n'a point reconnu Dieu dans la
sagesse de Dieu^{*a*}, c'est par la folie du message qu'il a plu
à Dieu de sauver les croyants. ²² Oui, tandis que les Juifs
demandent des signes^{*b*} et que les Grecs sont en quête de
sagesse, ²³ nous prêchons, nous, un Christ crucifié, scandale pour les Juifs et folie pour les païens, ²⁴ mais pour
ceux qui sont appelés, Juifs comme Grecs, c'est le Christ,
puissance de Dieu et sagesse de Dieu. ²⁵ Car ce qui est
folie de Dieu est plus sage que les hommes, et ce qui est
faiblesse de Dieu est plus fort que les hommes.

²⁶ Aussi bien, frères, considérez votre appel. Il n'y a pas
beaucoup de sages selon la chair^{*c*}, ni beaucoup de puis-
sants, ni beaucoup de gens bien nés. ²⁷ Mais ce qu'il y a
de fou dans le monde, voilà ce que Dieu a choisi pour
confondre les sages ; ce qu'il y a de faible dans le monde,
voilà ce que Dieu a choisi pour confondre la force ; ²⁸ ce
qui dans le monde est sans naissance et ce que l'on méprise,
voilà ce que Dieu a choisi ; ce qui n'est pas, pour réduire
à rien ce qui est, ²⁹ afin qu'aucune chair n'aille se glorifier
devant Dieu. ³⁰ Car c'est par Lui que vous êtes dans le
Christ Jésus qui, de par Dieu, est devenu pour nous
sagesse^{*d*}, justice et sanctification, rédemption, ³¹ afin que,

---

a) C'est-à-dire dans les œuvres de Dieu, qui manifestent sa sagesse.
Cf. Sg **13** 1-9 ; Rm **1** 19-20.

b) Voir Mt **12** 38 ; **16** 1 p ; Jn **2** 18 ; **4** 48 ; **6** 30.

c) C'est-à-dire d'un point de vue purement humain. Noter l'ironie de
ce passage. Tout en exposant le plan divin, Paul rappelle les Corinthiens
à la modestie.

d) Ainsi la sagesse n'est pas le fruit de la spéculation. Elle se trouve dans
un être humain apparu en « la plénitude des temps » (Ga **4** 4), le Christ,
qu'il faut « gagner » (Ph **3** 8), pour y trouver « tous les trésors de la sagesse

comme il est écrit[a], *celui qui se glorifie, qu'il se glorifie dans*   Jr **9** 22-23
le Seigneur.

2.   [1] Pour moi, frères, quand je suis venu chez vous,
je ne suis pas venu vous annoncer le témoignage de Dieu[b]
avec le prestige de la parole ou de la sagesse. [2] Non, je
n'ai rien voulu savoir parmi vous, sinon Jésus Christ,
et Jésus Christ crucifié. [3] Moi-même, je me suis présenté
à vous faible, craintif et tout tremblant[c], [4] et ma parole et
mon message n'avaient rien des discours persuasifs de la
sagesse; c'était une démonstration d'Esprit et de puissance[d], [5] afin que votre foi reposât, non sur la sagesse des
hommes, mais sur la puissance de Dieu.

[6] Pourtant, c'est bien de sagesse que nous parlons parmi
les parfaits[e], mais non d'une sagesse de ce monde ni des
princes de ce monde[f], voués à la destruction. [7] Ce dont

---

2 1. « *le témoignage de Dieu* » *B D nombre d'onciaux Vulg* ; « *le mystère de
Dieu* » *S A* P⁴⁶.

4. « *discours persuasifs de la sagesse* » *B S D* ; « *de la puissance persuasive
de la sagesse* » P⁴⁶ *G quelques minuscules.*

---

et de la science » (Col **2** 3). Et cette sagesse est celle d'un salut total :
« justice, sanctification, rédemption ».

a) Paul cite Jérémie très librement.

b) C'est-à-dire rendu par Dieu dans le message de Jésus Christ. Ce témoignage est celui de l'amour de Dieu pour les hommes.

c) Cette expression stylisée n'est pas à prendre à la lettre. Voir, par
exemple, 2 Co **7** 15 et Ep **6** 5, où il faut certainement entendre « avec
crainte et respect ». Le cas de Ph **2** 12 n'est guère différent. — Toutefois,
en arrivant seul à Corinthe (Ac **18** 1, 5), après son échec d'Athènes (Ac **17**
32-34), Paul ne pouvait manquer d'être inquiet.

d) L'allusion est aux miracles et aux effusions de l'Esprit qui ont accompagné la prédication de Paul (voir **1** 6 et 2 Co **12** 12).

e) Les *parfaits* sont ceux qui ont atteint le plein développement de la
vie et de la pensée chrétiennes. Cf. Ph **3** 15 et surtout He **5** 12-14. Le
terme ne désigne nullement un groupe ésotérique d'initiés, une aristocratie
de pensée au sein du christianisme.

f) Par *princes de ce monde* il faut entendre : soit l'ensemble des autorités
humaines, politiques, sociales, intellectuelles...; soit plutôt les puissances
mauvaises, les démons qui règnent sur le monde (cf. 1 Co **15** 24-25 ; Ep **6** 12.
Voir aussi Lc **4** 6 et Jn **12** 31 ; **14** 30 ; **16** 11); soit les unes et les autres,
les premières étant l'instrument des dernières.

nous parlons au contraire, c'est d'une sagesse de Dieu, mystérieuse, demeurée cachée*ᵃ*, celle que dès avant les siècles Dieu a par avance destinée pour notre gloire, ⁸ celle qu'aucun des princes de ce monde n'a connue — s'ils l'avaient connue, ils n'auraient pas crucifié le Seigneur de la Gloire*ᵇ*; — ⁹ mais, comme il est écrit*ᶜ*, nous annonçons *ce que l'œil n'a pas vu, ce que l'oreille n'a pas entendu, ce qui n'est pas monté au cœur de l'homme*ᵈ, *tout ce que Dieu a* préparé *pour ceux qui l'aiment.*

¹⁰ Car c'est à nous que Dieu l'a révélé par l'Esprit; l'Esprit en effet pénètre tout, jusqu'aux profondeurs divines. ¹¹ Qui donc entre les hommes sait les secrets de l'homme, sinon l'esprit de l'homme qui est en lui ? De même, nul ne connaît les secrets de Dieu, sinon l'Esprit de Dieu. ¹² Or nous n'avons pas reçu, nous, l'esprit du monde, mais l'Esprit qui vient de Dieu, afin de connaître les dons que Dieu nous a faits. ¹³ Et nous en parlons non pas en un langage enseigné par l'humaine sagesse, mais en un langage enseigné par l'Esprit, exprimant en

---

9. « *tout ce que* » B *A* ; « *ce que* » S D P⁴⁶.

10. « *Car* (γαρ) *c'est à nous* » B P⁴⁶ *plusieurs minuscules;* « *Car c'est bien* (δε) *à nous* » S *A* D *grand nombre de minuscules.*

---

a) Saint Paul se plaît à insister sur le caractère mystérieux du dessein de Dieu longtemps demeuré caché (Rm **16** 25-26; Ep **1** 9; **3** 4, 5, 9; Col **1** 26-27).

b) C'est-à-dire le *Seigneur* éminemment glorieux, à qui appartient la *Gloire*. Dans l'A. T., la *Gloire* est la splendeur de la puissance de Yahvé, un attribut dont il est jaloux et qu'il ne communique à personne (Is **42** 8). En qualifiant Jésus de *Seigneur de la Gloire,* Paul le met implicitement au même rang que Yahvé.

c) Libre combinaison d'Is **64** 3 et de Jr **3** 16. A moins que saint Paul n'ait trouvé ce texte dans l'apocryphe *Apocalypse d'Élie.*

d) « Ce qui n'est pas monté au cœur de l'homme » (Ac **7** 23), expression sémitisante pour désigner ce dont l'homme n'a jamais eu l'idée ni le désir. Texte célèbre en théologie.

termes d'esprit des réalités d'esprit[a]. [14] L'homme psychique[b] n'accueille pas ce qui est de l'Esprit de Dieu : c'est folie pour lui et il ne peut le connaître, car c'est par l'Esprit qu'on en juge. [15] L'homme spirituel[c] au contraire juge de tout et ne relève lui-même du jugement de personne[d]. [16] *Qui* donc *a connu la pensée du Seigneur, pour lui faire la leçon ?* Et nous l'avons, nous, la pensée du Christ.

Is **40** 13

3. [1] Pour moi, frères, je n'ai pu vous parler comme à des hommes spirituels[e], mais comme à des êtres de chair, comme à de petits enfants dans le Christ[f]. [2] C'est du lait que je vous ai donné à boire, non une nourriture solide ; vous ne pouviez encore la supporter. Mais vous ne le pouvez pas davantage à présent, [3] car vous êtes encore charnels. Du moment qu'il y a parmi vous jalousie et dispute, n'êtes-vous pas charnels et votre conduite n'est-elle pas tout humaine ? [4] Lorsque vous dites, l'un : « Moi, je

---

16. « *du Christ* » *S A C quelques minuscules* ; « *du Seigneur* » *B F G.*
3 3. « *jalousie et dispute* » *A B S ;* « *jalousie, dispute et dissensions* » *D G* P[46] *It Syr nombre de minuscules.*

---

a) Texte difficile. Autres traductions : « montrant l'accord des choses spirituelles pour des spirituels » (Allo) ; « les choses spirituelles étant ainsi proportionnées aux spirituels » (Buzy) ; « soumettant les réalités spirituelles au jugement des hommes inspirés » (Bible du Centenaire).

b) La Vulgate a traduit : *animalis homo.* Il est question de l'homme laissé aux seules ressources de sa nature, laquelle n'a aucune prise sur les réalités surnaturelles. En **15** 44, il sera question du « corps psychique ».

c) Ou « pneumatique ». C'est l'homme qui, illuminé par l'Esprit de Dieu, peut tout scruter, « jusqu'aux profondeurs de Dieu » (**2** 10).

d) Le texte est en partie polémique. Paul, qui est un « spirituel », n'a pas à être jugé par les Corinthiens qui ne sont même pas « psychiques », puisque, **3** 1-13, ils sont qualifiés d' « êtres de chair » et de « charnels ».

e) Même mouvement oratoire que **1** 26-29. Les Corinthiens ne rêvent que sagesse, et « dans le Christ », ils ne sont que des « bébés » ! Dans le raisonnement de Paul, ironie et dialectique sont intimement liées

f) Voir He **5** 12-14, et aussi 1 P **2** 2 et 1 Th **2** 7.

suis pour Paul », et l'autre : « Moi, pour Apollos », n'est-ce
pas là bien humain ?

**Le vrai rôle
des prédicateurs.**

⁵ Qu'est-ce donc qu'Apollos ? Et qu'est-ce que Paul ?
Des serviteurs par qui vous avez embrassé la foi, et chacun d'eux pour la part que le Seigneur lui a donnée. ⁶ Moi,
j'ai planté, Apollos a arrosé; mais c'est Dieu qui donnait la
croissance. ⁷ Or ni celui qui plante n'est quelque chose, ni
celui qui arrose, mais celui qui donne la croissance, Dieu.
⁸ Celui qui plante et celui qui arrose ne font qu'un,
mais chacun recevra son propre salaire à la mesure
de son propre labeur. ⁹ Car nous sommes les coopérateurs de Dieu*a*; vous êtes le champ de Dieu, l'édifice
de Dieu.

¹⁰ Selon la grâce de Dieu qui m'a été donnée, tel un
bon architecte, j'ai posé le fondement. Un autre bâtit
dessus. Mais que chacun prenne garde à la manière dont
il y bâtit. ¹¹ De fondement en effet, nul n'en peut poser
d'autre que celui qui s'y trouve, à savoir Jésus Christ.
¹² Que si sur ce fondement on bâtit avec de l'or, de l'argent,
des pierres précieuses, du bois, du foin, de la paille*b*,
¹³ l'œuvre de chacun deviendra manifeste; le Jour*c* la
fera connaître, car il doit se révéler dans le feu, et c'est ce
feu même qui éprouvera la qualité de l'œuvre de chacun*d*.
¹⁴ Si l'œuvre bâtie sur le fondement résiste, son auteur

---

a) Ou : « les communs ouvriers de Dieu ».

b) Les matériaux, comme la construction, sont symboliques; et leur
degré de résistance aux flammes va *decrescendo*.

c) Le *Jour* du Jugement, lors du retour glorieux de Jésus Christ (**1** 8).

d) Remarquer la nature toute particulière de ce *feu,* chargé de juger la
valeur « apostolique » de l'œuvre des prédicateurs de l'Évangile. — Le
feu figurait dans l'apocalyptique juive, comme dans les systèmes de Zoroastre et des Stoïciens, mais Paul le spiritualise.

recevra une récompense ; ¹⁵ si son œuvre est consumée, il en subira la perte*a*; quant à lui, il sera sauvé, mais pour ainsi dire à travers le feu*b*.

¹⁶ Ne savez-vous pas que vous êtes un temple*c* de Dieu, et que l'Esprit de Dieu habite en vous ? ¹⁷ Si quelqu'un détruit le temple de Dieu, celui-là, Dieu le détruira. Car le temple de Dieu est sacré*d*, et ce temple, c'est vous.

Conclusions. ¹⁸ Que nul ne s'abuse ! Si quelqu'un parmi vous se croit un sage au jugement de ce monde, qu'il se fasse fou pour devenir sage ; ¹⁹ car la sagesse de ce monde est folie devant Dieu. Il est écrit*e* en effet : *Celui qui prend les sages à leur propre astuce ;* ²⁰ et encore : *Le Seigneur connaît les pensées des* sages; il sait *qu'elles sont vaines.* ²¹ Ainsi, que nul ne se glorifie dans les hommes ; car tout est à vous, ²² soit Paul, soit Apollos, soit Céphas, soit le monde, soit la vie, soit la mort, soit le présent, soit l'avenir. Tout est à vous ; ²³ mais vous êtes au Christ, et le Christ est à Dieu.

Jb 5 13
Ps 93 11

4. ¹ Qu'on nous regarde donc comme des serviteurs du Christ et des intendants des mystères de Dieu*f*. ² Or

---

a) Paul distingue donc trois catégories de prédicateurs : ceux qui bâtissent avec de bons matériaux (14); ceux qui bâtissent avec des matériaux de qualité inférieure (15); ceux qui détruisent l'édifice, qui n'est autre que le temple de Dieu (16-17).

b) Bien que Paul n'ait en vue que les prédicateurs et qu'il ne pense pas au Purgatoire, il n'est pas douteux que le texte ne contienne le germe de cette doctrine.

c) Le mot grec que nous traduisons par *temple* désigne le plus souvent la partie la plus reculée du sanctuaire, celle-là même qu'habite le dieu. Nous dirions « tabernacle ».

d) C'est-à-dire consacré et réservé à Dieu. Quiconque y touche touche à Dieu et mérite le châtiment du sacrilège. La traduction « saint » nous paraît inexacte.

e) Paul cite très librement.

f) C'est-à-dire tous les trésors de doctrine et de vie révélés et donnés par Dieu aux hommes.

ce qu'en fin de compte on demande à des intendants, c'est que chacun soit trouvé fidèle. [3] Pour moi, il m'importe fort peu d'être jugé par vous ou par un tribunal humain. Bien plus, je ne me juge pas moi-même. [4] Ma conscience, il est vrai, ne me reproche rien, mais je n'en suis pas justifié pour autant; mon juge, c'est le Seigneur. [5] Ne portez donc pas de jugement prématuré. Laissez venir le Seigneur; c'est lui qui éclairera les secrets des ténèbres et rendra manifestes les desseins des cœurs. Et alors chacun recevra de Dieu la louange qui lui revient.

[6] En tout cela, frères, je me suis pris en exemple avec Apollos à cause de vous. J'ai voulu que, dans nos personnes, vous appreniez la maxime : « Rien au delà de ce qui est écrit[a] », pour que nul ne prenne orgueilleusement le parti de l'un contre l'autre. [7] Qui donc en effet te distingue[b] ? Qu'as-tu que tu n'aies reçu ? Et si tu l'as reçu, pourquoi te vanter comme si tu ne l'avais pas reçu ? [8] Déjà, vous êtes rassasiés ! déjà vous vous êtes enrichis ! sans nous, vous êtes devenus rois[c] ! Eh ! que ne l'êtes-vous donc, rois, pour que nous partagions nous aussi votre royauté ? [9] Car Dieu, ce me semble, nous a, nous les apôtres, exhibés au dernier rang, tels des condamnés à mort; oui, nous avons été livrés en spectacle au monde, aux anges et aux hommes. [10] Nous sommes fous, nous, à

---

4 2. « *ce qu'on demande* » *B quelques minuscules Lat Syr* ; « *ce que vous demandez* » *S A C D.*

---

a) Texte difficile. Peut-être un proverbe répandu parmi les Juifs, peut-être une maxime rabbinique. Allo penche pour un dicton qui aurait eu cours à Corinthe, et selon lequel on doit s'en tenir à ce qui a été décidé et écrit. Il est entendu une fois pour toutes que les prédicateurs ne sont que des instruments de Dieu : qu'on ne revienne pas là-dessus.

b) Rappel à l'humilité. Voir **1** 2 et la note.

c) Sans nous, vous êtes déjà installés dans le Royaume des cieux et jouissez, jusqu'au rassasiement, de toutes ses richesses !

cause du Christ, et vous, vous êtes prudents dans le Christ; nous sommes faibles, et vous, vous êtes forts; vous êtes à l'honneur, et nous dans le mépris. [11] A cette heure encore, nous souffrons la faim, la soif, la nudité; nous sommes maltraités et errants; [12] nous nous épuisons à travailler de nos mains[a]. On nous insulte et nous bénissons; on nous persécute et nous l'endurons; [13] on nous calomnie et nous consolons. Nous sommes devenus comme l'ordure du monde, jusqu'à présent l'universel rebut[b].

Admonestations. [14] Ce n'est pas pour vous confondre que j'écris cela; c'est pour vous reprendre comme mes enfants bien-aimés. [15] Auriez-vous en effet des milliers de pédagogues[c] dans le Christ, que vous n'avez pas plusieurs pères[d]; car c'est moi qui, par l'Évangile, vous ai engendrés dans le Christ Jésus. [16] Je vous en prie donc, montrez-vous mes imitateurs. [17] Et c'est bien pour cela que je vous ai envoyé Timothée[e], mon enfant bien-aimé et fidèle dans le Seigneur; il vous rappellera mes règles de conduite dans le Christ, telles que je les enseigne partout dans toutes les Églises.

[18] Dans la pensée que je ne viendrais pas chez vous, certains se sont gonflés d'orgueil. [19] Mais je viendrai bien-

---

17. « *Et c'est bien pour cela* » *S A P* ; « *Et c'est pour cela* » *B C D* P[46] *grand nombre de minuscules.*

---

a) Voir 1 Co **9** 6, 14-15; 1 Th **2** 9; 2 Th **3** 8, et encore Ac **18** 3; **20** 34-35.

b) Tout ce passage (7-13) est d'une ironie pathétique. Paul revient volontiers sur les labeurs, privations et souffrances de sa vie d'apôtre. Voir en particulier: 2 Co **4** 8-12; **6** 4-10; **11** 23-33; 2 Tm **3** 10-11.

c) Le *pédagogue* était un esclave qui avait pour rôle de conduire à ses maîtres l'enfant, puis le jeune homme, de le surveiller, de réprimer ses écarts. La nuance est péjorative.

d) Sur cette paternité spirituelle, voir 1 Co **4** 17 et 1 P **5** 13.

e) Timothée, l' « enfant chéri » de Paul, avait été envoyé en mission à Corinthe. Voir Ac **19** 21-22 et l'Introduction aux Épîtres pastorales.

tôt chez vous, s'il plaît au Seigneur, et je jugerai alors
non des paroles de ces gonflés d'orgueil, mais de leur
puissance ; [20] car le Royaume de Dieu ne consiste pas en
parole, mais en puissance. [21] Que préférez-vous ? Que je
vienne chez vous avec des verges ou bien avec charité et
en esprit de douceur ?

II. LE CAS D'INCESTE

5. [1] On n'entend parler que d'impudicité parmi vous,
et d'une impudicité telle qu'il n'en existe pas même chez
les païens ; c'est à ce point que l'un de vous vit avec la
femme de son père[a] !

[2] Et vous êtes gonflés d'orgueil ! Et vous n'avez pas
plutôt pris le deuil, pour qu'on enlevât du milieu de vous
l'auteur d'une telle action ! [3] Eh bien ! moi, absent de
corps, mais présent d'esprit, j'ai déjà jugé, comme si
j'étais présent, l'auteur d'un tel forfait. [4] Il faut qu'au nom
du Seigneur Jésus nous nous assemblions, vous et mon
esprit, avec la puissance de notre Seigneur Jésus, [5] et que
cet individu soit livré à Satan pour la perte de sa chair,
afin que l'esprit soit sauvé au Jour du Seigneur[b].

---

5 4. « *du Seigneur Jésus* » *S A quelques minuscules ; « de notre Seigneur Jésus
Christ* » *B D* P[46] *nombre de minuscules Lat Syr.*

---

a) Sa belle-mère, évidemment.
b) Non seulement le coupable est excommunié, c'est-à-dire exclu de la
communauté et privé de tous rapports avec elle (v. 13); il est encore
« livré à Satan », pour que celui-ci le fasse périr ou tout au moins le frappe
cruellement. Mais la peine est médicinale aussi, puisque, dans l'intention
de Paul, l' « esprit », c'est-à-dire l'âme de l'excommunié, doit être sauvé.
A rapprocher **11** 30-32. Le cas d'Ananie et Saphire (Ac **5** 1-11) et celui
du mage Élymas (Ac **13** 8-12) sont différents.

⁶ Il n'y a pas de quoi faire les fiers[a] ! Ne savez-vous pas qu'un peu de levain fait lever toute la pâte ? ⁷ Purifiez-vous du vieux levain pour être une pâte nouvelle, puisque vous êtes des azymes. Car notre pâque, le Christ, a été immolée. ⁸ Célébrons donc la fête, non pas avec du vieux levain ni un levain de malice et de perversité, mais avec des azymes de pureté et de vérité[b].

⁹ En vous écrivant, dans ma lettre[c], de n'avoir pas de relations avec des impudiques, ¹⁰ je n'entendais pas d'une manière absolue les impudiques de ce monde, ou bien les cupides et les rapaces, ou les idolâtres; car il vous faudrait alors sortir du monde. ¹¹ Non, je vous ai écrit de n'avoir pas de relations avec celui qui, tout en portant le nom de frère[d], serait impudique, cupide, idolâtre, insulteur, ivrogne ou rapace, et même avec un tel homme de ne point prendre de repas. ¹² Qu'ai-je à faire en effet de juger ceux du dehors[e] ? N'est-ce pas ceux du dedans que vous jugez, vous ? ¹³ Ceux du dehors, c'est Dieu qui les jugera.

Enlevez le pervers du milieu de vous.   Dt **13** 6

---

a) Litt. « Il n'est pas beau le sujet de votre vanterie ! »

b) Lors des fêtes de la Pâque, les Juifs, après avoir soigneusement fait disparaître tout le levain qui se trouvait dans leur demeure, ne mangeaient que du pain *azyme,* c'est-à-dire sans levain. Or le Christ, notre *pâque,* c'est-à-dire notre agneau pascal, a été, lors de la Passion, immolé une fois pour toutes. Et le chrétien est uni au Christ immolé et ressuscité dans une Pâque qui ne finit pas. Les disciples du Christ doivent donc expulser de leur vie « le vieux levain », c'est-à-dire « la malice et la perversité », et le remplacer par les « azymes de pureté et de vérité ». Il est possible que cette comparaison ait été suggérée à Paul par la période de l'année où il écrivait.

c) La lettre « précanonique ». Voir l'Introduction, p. 14.

d) Tout en étant connu pour *frère,* c'est-à-dire membre de la communauté chrétienne.

e) Il s'agit de ceux qui n'appartiennent pas à la communauté (cf. Mc **4** 11; Col **4** 5; 1 Th **4** 12). Ce terme, comme celui de *frère,* est emprunté au vocabulaire du Judaïsme.

III. L'APPEL AUX TRIBUNAUX PAÏENS

6. ¹ Quand l'un de vous a un différend avec un autre, ose-t-il bien aller en justice devant les injustes*a*, et non devant les saints*b* ? ² Ou bien ne savez-vous pas que les saints jugeront le monde*c* ? Et si c'est par vous que le monde doit être jugé, êtes-vous indignes de prononcer sur des riens ? ³ Ne savez-vous pas que nous jugerons les anges*d* ? A plus forte raison les affaires de cette vie ! ⁴ Et quand vous avez là-dessus des litiges, vous allez prendre pour juges des gens que l'Église méprise*e* ! ⁵ Je le dis à votre honte; ainsi, il n'y a parmi vous aucun homme sage, qui puisse servir d'arbitre entre ses frères*f* ! ⁶ Mais on va en justice frère contre frère, et cela devant des infidèles ! ⁷ De toute façon, certes, c'est déjà pour vous une défaite que d'avoir entre vous des procès. Pourquoi ne pas souffrir plutôt l'injustice ? Pourquoi ne pas vous laisser plutôt dépouiller*g* ? ⁸ Mais non, c'est vous qui pratiquez l'injustice et dépouillez les autres; et ce sont des frères !

---

a) Il s'agit de ceux qui ne possèdent pas la *justice,* c'est-à-dire la sainteté conférée par Dieu. Ils n'ont pas la *justice ;* comment pourraient-ils la rendre à des *justes ?* C'est un jeu de mots, dont Paul s'est servi pour piquer l'attention des Corinthiens; mais il n'a pas voulu dire que la justice à Corinthe fût spécialement vénale et corrompue. Des accusations de ce genre ne sont pas dans sa manière.

b) C'est-à-dire les membres de la communauté. Voir Introduction, p. 21.

c) Le Christ, juge souverain du monde, fera participer tous les chrétiens, qui ne font qu'un avec lui, à ses prérogatives.

d) Plus probablement les mauvais anges (Jude 5-6).

e) C'est-à-dire les juges païens. On peut aussi traduire : « Si donc vous avez là-dessus des litiges, prenez pour juges des gens dont l'Église ne fait aucun cas », c'est-à-dire les chrétiens les plus humbles, qui suffisent bien pour « prononcer sur des riens » (ironique).

f) Toujours l'ironie. Quoi ! Les Corinthiens se tiennent pour des *sages,* et il ne se trouve parmi ces *sages* personne qui puisse prononcer sur des riens !

g) Écho des paroles de Jésus : Mt **5** 38-40; Lc **6** 29-30.

⁹ Ne savez-vous pas que les injustes*ᵃ* n'héritent point du Royaume de Dieu ? Ne vous y trompez pas ! Ni impudiques, ni idolâtres, ni adultères, ni dépravés, ni gens de mœurs infâmes, ¹⁰ ni voleurs, ni cupides, pas plus qu'ivrognes, insulteurs ou rapaces, n'hériteront du Royaume de Dieu. ¹¹ Et cela, vous l'étiez bien, quelques-uns. Mais vous vous êtes lavés, mais vous avez été sanctifiés, mais vous avez été justifiés par le nom du Seigneur Jésus Christ et par l'Esprit de notre Dieu*ᵇ*.

IV. La fornication

¹² « Tout m'est permis »*ᶜ*; mais tout n'est pas profitable. « Tout m'est permis »; mais j'entends, moi, ne me laisser dominer par rien. ¹³ Les aliments sont pour le ventre et le ventre pour les aliments*ᵈ*, et Dieu détruira ceux-ci comme celui-là. Mais le corps n'est pas pour la fornication; il est pour le Seigneur, et le Seigneur pour le corps. ¹⁴ Et Dieu, qui a ressuscité le Seigneur, nous ressuscitera, nous aussi, par sa puissance*ᵉ*.

¹⁵ Ne savez-vous pas que vos corps sont des membres du Christ*ᶠ* ? Et j'irais prendre les membres du Christ pour

---

6 11. « *le nom du Seigneur Jésus Christ* » S A D P⁴⁶; « *le nom de notre Seigneur Jésus Christ* » B C P *grand nombre de minuscules Lat Syr.*

14. « *nous ressuscitera* » S C D°E *plusieurs Versions ;* « *nous a ressuscités* » B.

---

a) Au v. 1, le mot *injuste* avait un sens religieux, ici le sens est d'ordre moral : celui qui cause du dommage au prochain.

b) Noter la présentation trinitaire de la pensée.

c) Probablement un adage de Paul, qu'avaient adopté, pour en fausser le sens, les partisans de la liberté absolue.

d) Allégation des libertins, qui estimaient que la fornication est un besoin légitime du corps, tout comme le boire et le manger.

e) Le sort du disciple du Christ doit être le même que celui de son Maître.

f) Qui les a acquis par sa mort (Rm **14** 9).

en faire des membres de prostituée ! Certes non ! [16] Ou bien ne savez-vous pas que celui qui s'unit à la prostituée n'est avec elle qu'un seul corps ? Car il est dit[a] : *Les deux ne seront qu'une seule chair.* [17] Celui qui s'unit au Seigneur, au contraire, n'est avec lui qu'un seul esprit.

Gn **2** 24

[18] Fuyez la fornication ! Tout péché que l'homme peut commettre est extérieur à son corps[b] ; celui qui fornique, lui, pèche contre son propre corps.

[19] Ou bien ne savez-vous pas que votre corps est un temple du Saint Esprit, qui est en vous et que vous tenez de Dieu ? Et que vous ne vous appartenez pas ? [20] Vous avez été bel et bien achetés[c] ! Glorifiez donc Dieu dans votre corps.

II

SOLUTION DE DIVERS PROBLÈMES

I. Mariage et Virginité

7[d]. [1] J'en viens maintenant à ce que vous m'avez écrit. Il est bon pour l'homme de s'abstenir de la femme.

---

20. *Après « Glorifiez » Vulg ajoute indûment :* « *et portez* ».

a) Emploi audacieux de Gn **2** 24 : « C'est pourquoi l'homme quitte son père et sa mère ; il s'attache à sa femme et ils deviennent une seule chair. »

b) L'exagération oratoire est évidente. Mais il n'en reste pas moins que le péché de fornication engage le corps bien plus profondément que n'importe quel péché.

c) Litt. « vous avez été achetés pour un prix ». La traduction de la Vulgate (« vous avez été achetés à un grand prix ») paraît forcer le sens. Le même terme (« acheter ») se retrouve 1 Co **7** 23 ; Ap **5** 9 ; **14** 3-4.

d) Le ch. **7** est célèbre pour ses difficultés. Afin de ne pas s'exposer

² Toutefois, en raison du péril d'impudicité, que chaque homme ait sa femme et chaque femme son mari. ³ Que le mari s'acquitte de son devoir[a] envers sa femme, et pareillement la femme envers son mari. ⁴ La femme ne dispose pas de son corps, mais le mari. Pareillement, le mari ne dispose pas de son corps, mais la femme. ⁵ Ne vous refusez pas l'un à l'autre, si ce n'est d'un commun accord, pour un temps, afin de vaquer à la prière; puis reprenez la vie commune, de peur que Satan ne profite, pour vous tenter, de votre incontinence. ⁶ Ce que je dis là est une concession, non un ordre. ⁷ Je voudrais que tout le monde fût comme moi; mais chacun reçoit de Dieu son don particulier, l'un celui-ci, l'autre celui-là.

⁸ Je dis toutefois aux célibataires et aux veuves qu'il leur est bon de demeurer comme moi. ⁹ Mais s'ils ne peuvent se contenir, qu'ils se marient : mieux vaut se marier que de brûler.

¹⁰ Quant aux personnes mariées, voici ce que j'ordonne, non pas moi, mais le Seigneur[b] : que la femme ne se sépare pas de son mari, — ¹¹ en cas de séparation, qu'elle ne se remarie pas ou qu'elle se réconcilie avec son mari, — et que le mari ne répudie pas sa femme.

---

7 8. « *et aux veuves* ». *Ou, d'après une conjecture plausible :* « *et aux veufs* ».

à mal entendre la pensée de Paul, il faut bien comprendre que l'Apôtre ne rédige pas un petit traité sur le Mariage et la Virginité en général. Il répond, et sans doute point par point, aux questions qui lui sont posées. D'où des redites et parfois des apparences de contradiction. Voici l'essentiel de sa pensée : 1. En principe, chacun doit rester dans l'état de vie où il se trouvait, quand il a été appelé à la foi. 2. La virginité est un état plus parfait et spirituellement plus avantageux que le mariage. 3. Le mariage convient à ceux qui, sans lui, ne pourraient résister à la concupiscence : c'est une sauvegarde. Après ce ch., on fera bien de lire Ep **5** 22-33, où Paul traite la question du mariage d'un tout autre point de vue.

a) Le terme est devenu technique pour désigner le *debitum tori*.

b) Mt **5** 32 et **19** 9; Mc **10** 11-12; Lc **16** 18.

¹² Quant aux autres, c'est moi qui leur dis*a*, non le Seigneur : si un frère a une femme non croyante qui consente à cohabiter avec lui, qu'il ne la renvoie pas. ¹³ Une femme a-t-elle un mari non croyant qui consente à cohabiter avec elle, qu'elle ne renvoie pas son mari. ¹⁴ Car le mari non croyant se trouve sanctifié par sa femme, et la femme non croyante se trouve sanctifiée par le mari croyant*b*. S'il en était autrement, vos enfants seraient impurs, alors qu'ils sont saints*c* ! ¹⁵ Mais si la partie non croyante veut se séparer, qu'elle se sépare; en pareil cas, le frère ou la sœur*d* ne sont pas liés*e* : Dieu vous a appelés à vivre en paix. ¹⁶ Et que sais-tu, femme, si tu sauveras ton mari ? Et que sais-tu, mari, si tu sauveras ta femme ?

¹⁷ En dehors de ce cas, que chacun continue de vivre dans la condition que lui a assignée le Seigneur, tel que l'a trouvé l'appel de Dieu. C'est là ce que je prescris dans toutes les Églises. ¹⁸ Quelqu'un était-il circoncis lors de son appel ? qu'il ne se fasse pas de prépuce*f*. L'appel l'a-t-il trouvé incirconcis ? qu'il ne se fasse pas circoncire. ¹⁹ La circoncision n'est rien, rien non plus l'incirconcision*g*; ce qui compte, c'est d'observer les commande-

---

15. « *vous a appelés* » S*c* *A C ;* « *nous a appelés* » *B D E* P⁴⁶ *plusieurs Versions.*

---

a) Noter la vigilance avec laquelle Paul distingue ce qui vient du Seigneur et ce qui vient de lui.
b) Non pas d'une sainteté véritable, intérieure, comme celle du chrétien, mais d'une sainteté externe, sociale, fondée sans doute sur l'acceptation d'une meilleure discipline des mœurs et sur l'amour accordé à une chrétienne.
c) Ils font, d'une certaine manière, partie de la communauté et bénéficient de son milieu spirituel. L'argument de Paul repose sur cette affirmation. La « sainteté » des enfants de chrétiens était donc admise à Corinthe. On aura remarqué qu'il n'est pas question de baptême.
d) C'est-à-dire : la chrétienne.
e) Ce cas est étudié en théologie sous le nom de « privilège paulin ».
f) Comme le faisaient certains Juifs honteux (1 M **1** 15).
g) Voir Ga **5** 6; **6** 15.

ments de Dieu. ²⁰ Que chacun demeure dans l'état où l'a trouvé l'appel de Dieu. ²¹ Étais-tu esclave, lors de ton appel ? ne t'en soucie pas. Et même si tu peux devenir libre, mets plutôt à profit ta condition d'esclave[a]. ²² Car celui qui était esclave lors de son appel dans le Seigneur est un affranchi du Seigneur ; de même celui qui était libre lors de son appel est un esclave du Christ. ²³ Vous avez été bel et bien achetés ! Ne vous rendez pas esclaves des hommes[b]. ²⁴ Que chacun, frères, demeure devant Dieu dans l'état où l'a trouvé son appel[c].

²⁵ Pour ce qui est des vierges, je n'ai pas d'ordre du Seigneur, mais je donne un avis en homme qui, par la miséricorde du Seigneur, est digne de confiance. ²⁶ J'estime donc qu'en raison de la détresse présente[d], c'est l'état qui convient ; oui, c'est pour chacun ce qui convient. ²⁷ Es-tu lié à une femme ? ne cherche pas à rompre. N'es-tu pas lié à une femme ? ne cherche pas de femme. ²⁸ Si cependant tu te maries, tu ne pèches pas ; et si la jeune fille se marie, elle ne pèche pas. Mais ceux-là connaîtront des épreuves en leur chair[e], et moi, je voudrais vous les épargner.

²⁹ Je vous le dis, frères : le temps se fait court[f]. Que désormais ceux qui ont femme vivent comme s'ils n'en avaient pas ; ³⁰ ceux qui pleurent, comme s'ils ne pleuraient

---

a) La traduction « profite plutôt de l'occasion » s'harmonise peu avec le contexte.

b) C'est-à-dire de leur manière de voir, de leurs préjugés, de quelque nature qu'ils soient.

c) La même pensée, exprimée presque dans les mêmes termes, revient, comme un leitmotiv, aux vv. 17, 20 et 24.

d) Si l'on rapproche ce texte de 1 Co **7** 29, il semble bien qu'il faille entendre cette « détresse présente » des calamités qui doivent précéder la fin des temps.

e) Il n'est pas question d'épreuves provenant de la concupiscence (**7** 2, 9), mais des responsabilités et tracas qui pèsent sur les gens mariés et qui atteindront leur paroxysme lors de la Parousie (**7** 26 ; Mt **24** 19 p).

f) « Ce siècle présent ne doit pas être regardé comme très durable, pour justifier l'exhortation de l'Apôtre » (F. Prat).

pas; ceux qui sont dans la joie, comme s'ils n'étaient pas dans la joie; ceux qui achètent, comme s'ils ne possédaient pas; [31] ceux qui usent de ce monde, comme s'ils n'en usaient pas véritablement[a]. Car elle passe, la figure de ce monde.

[32] Je voudrais vous voir exempts de soucis. L'homme qui n'est pas marié a souci des affaires du Seigneur, des moyens de plaire au Seigneur. [33] Celui qui s'est marié a souci des affaires du monde, des moyens de plaire à sa femme; [34] et le voilà partagé. De même la femme sans mari, comme la jeune fille, a souci des affaires du Seigneur; elle cherche à être sainte de corps et d'esprit. Celle qui s'est mariée a souci des affaires du monde, des moyens de plaire à son mari. [35] Je dis cela dans votre propre intérêt, non pour vous tendre un piège[b], mais vous porter à ce qui est digne et qui attache sans partage au Seigneur.

[36] Si pourtant quelqu'un croit manquer aux convenances envers sa fille en lui laissant passer l'âge, et que les choses doivent suivre leur cours, qu'il fasse ce qu'il veut; il ne pèche pas : qu'on se marie. [37] Mais si l'on est fermement décidé en son cœur, et qu'à l'abri de toute contrainte et libre de son choix, on ait résolu en son for intérieur de garder sa jeune fille, on fera bien. [38] Ainsi donc, celui qui marie sa fille fait bien; celui qui ne la marie pas fera mieux encore[c].

---

a) Ces antithèses, fréquentes dans la rhétorique grecque et la diatribe stoïcienne, sont dans le goût de Paul (1 Co 4 10-13; 2 Co 4 8-9; 6 9-10).

b) Allusion probable à un reproche que lui adressaient ses adversaires.

c) Nous sommes dans la société antique, où le père disposait de sa fille comme il l'entendait. Un grand nombre de critiques, dont quelques catholiques, interprètent ce passage (36-38) d'un mariage fictif entre un chrétien et une jeune chrétienne qui, pour se préserver des périls que faisait courir à sa vertu le milieu dissolu de Corinthe, mettait sa virginité sous la protection d'un homme d'honneur. Voici comment ils traduisent (Richard) :

« [36] Si quelqu'un pense, étant en pleine ardeur juvénile, qu'il risque

³⁹ La femme demeure liée à son mari aussi longtemps qu'il vit; mais si le mari meurt, elle est libre d'épouser qui elle veut, dans le Seigneur seulement^a. ⁴⁰ Pourtant elle sera plus heureuse, à mon sens, si elle reste comme elle est^b. Et je pense bien, moi aussi, avoir l'Esprit de Dieu.

II. Les idolothytes

8. ¹ Pour ce qui est des
L'aspect théorique. viandes immolées aux idoles^c, nous avons tous la science, c'est entendu. Mais la science enfle; c'est la charité qui édifie^d. ² Si quelqu'un s'imagine connaître quelque chose,

---

40. « *de Dieu* » *A B S* ; « *du Christ* » *P*¹⁵ 43.

---

de mal se conduire vis-à-vis de sa vierge, et que les choses doivent suivre leur cours, qu'il fasse ce qu'il veut : il ne pèche pas, qu'ils se marient ! ³⁷ Mais celui qui a pris dans son cœur une ferme résolution, en dehors de toute contrainte, en gardant le plein contrôle de sa volonté, et a ainsi décidé en lui-même de respecter sa vierge, celui-là fait bien. ³⁸ Ainsi celui qui se marie avec sa vierge fait bien, mais celui qui ne se marie pas (avec elle) fait mieux encore. »

L'hypothèse est intéressante et paraît rendre compte de certains aspects du texte, mais elle se heurte à des difficultés de lexique, et d'autre part rien ne permet d'affirmer l'existence à Corinthe au temps de Paul de l'institution des « virgines subintroductae ».

a) Elle doit prendre un mari chrétien,

b) Voir dans un autre sens 1 Tm 5 14. L'expérience a porté ses fruits.

c) Dans la société antique, il n'y avait ni fêtes ni cérémonies publiques sans sacrifices, et fêtes et cérémonies étaient nombreuses. Les dieux, les prêtres, les donateurs recevaient d'abord leur part des viandes immolées (ou « idolothytes »). Le reste était consommé en des repas sacrés ou vendu à bon compte sur les marchés. D'où toute une série de cas de conscience pour un chrétien. Avait-on le droit de prendre part à un repas sacré ? d'acheter de la viande immolée aux idoles ? d'en manger à une table où l'on se trouvait invité ? Paul les résout avec décision et lucidité. La liberté de jugement du chrétien éclairé demeure entière, mais sa liberté d'action se trouve limitée par le devoir de ne pas scandaliser ses frères, encore plus ou moins emprisonnés dans les préjugés de leur paganisme d'hier.

d) Au sens fort de « bâtir, construire » l'Église et le prochain.

il ne connaît pas encore comme il faut connaître; [3] mais si quelqu'un aime Dieu, celui-là est connu de lui[a]. [4] Donc, pour ce qui est de manger des viandes immolées aux idoles, nous savons bien qu'il n'y a pas d'idoles dans le monde et qu'il n'est de Dieu qu'Un seul. [5] Car, bien qu'il y ait, soit au ciel, soit sur la terre, de prétendus dieux, — et de fait il y a quantité de dieux et quantité de seigneurs[b], — [6] pour nous en tout cas, il n'y a qu'un seul Dieu, le Père, de qui tout vient et pour qui nous sommes faits, et un seul Seigneur, Jésus Christ, par qui tout existe et par qui nous sommes[c].

Le point de vue de la charité.

[7] Mais tous n'ont pas la science. Certains, par suite de l'idée qu'ils se font encore de l'idole, mangent les viandes immolées comme telles, et leur conscience, qui est faible, s'en trouve souillée. [8] Ce n'est pas un aliment, certes, qui nous rapprochera de Dieu. Si nous n'en mangeons pas, nous n'avons rien de moins; et si nous en mangeons, nous n'avons rien de plus. [9] Mais prenez garde que cette liberté dont vous usez ne devienne pour les faibles occasion de chute. [10] Si en effet quelqu'un te voit, toi qui as la science, attablé dans un temple d'idoles, sa conscience à lui qui est faible ne va-t-elle pas se croire autorisée à manger des viandes immolées aux idoles? [11] Et ta science alors va faire périr le faible, ce frère pour qui le Christ est mort ! [12] En péchant ainsi contre vos frères, en blessant leur conscience, qui est faible, c'est

---

a) C'est-à-dire au sens biblique : « aimé de Dieu ».

b) Paul constate simplement un fait. Les dieux sont « les êtres fictifs de l'Olympe, les corps sidéraux »; les seigneurs, c'est « toute la phalange des hommes divinisés » (Allo).

c) Cf. Col **1** 16-17; He **1** 2; Jn **1** 3.

contre le Christ que vous péchez. [13] C'est pourquoi, si un
aliment doit causer la chute de mon frère, je me passerai
de viande à tout jamais, afin de ne pas causer la chute de
mon frère[a].

9.   [1] Ne suis-je pas libre ?

L'exemple de Paul.   Ne suis-je pas apôtre ? N'ai-
je donc pas vu Jésus[b], notre
Seigneur ? N'êtes-vous pas mon œuvre dans le Seigneur ?
[2] Si pour d'autres je ne suis pas apôtre, pour vous du moins
je le suis ; car c'est vous qui, dans le Seigneur, êtes le sceau
de mon apostolat[c]. [3] Ma réponse à mes détracteurs, la
voilà. [4] N'avons-nous pas le droit de manger et de boire[d] ?
[5] N'avons-nous pas le droit de faire suivre une femme
croyante[e], comme les autres apôtres, et les frères du
Seigneur[f], et Céphas[g] ? [6] Ou bien sommes-nous les seuls,
Barnabé[h] et moi, à être privés du droit de ne pas travailler ?
[7] Qui fait jamais campagne à ses frais ? Qui plante une
vigne, sans jouir de son fruit ? Qui fait paître un troupeau,
sans se nourrir du lait de ce troupeau ?

[8] N'y a-t-il là que propos humains ? Ou bien la Loi ne

---

9 1. « *Ne suis-je pas libre ? Ne suis-je pas apôtre ?* » *S A B P* ; « *Ne suis-je pas apôtre ? Ne suis-je pas libre ?* » *D E F G.*

---

a) Cf. Rm **14** 13, 20-21.

b) Cf. 1 Co **15** 8.

c) C'est-à-dire : la preuve authentique que j'ai rempli ma mission d'apôtre.

d) Aux frais des communautés.

e) Cette femme croyante (litt. : *femme sœur*) avait pour mission de veiller sur les divers besoins matériels des apôtres. Voir, pour Jésus et le groupe des Douze, Lc **8** 2-3.

f) C'est-à-dire ses parents (Mc **6** 3).

g) C'est-à-dire Pierre (Jn **1** 43 ; 1 Co **1** 12 ; **3** 22 ; **15** 6 ; Ga **1** 18 ; **2** 9, 11, 14).

h) Ami de Paul et son collaborateur à Antioche et pendant le premier voyage missionnaire (Ac **11** 25-26 ; **13** 2-14 28). Ils se séparèrent à la suite d'un désaccord au sujet de Marc (Ac **15** 36-39). Le ton sur lequel en parle Paul laisse supposer qu'ils se sont rapprochés.

Dt 25 4

le dit-elle pas aussi ? [9] C'est bien dans la Loi de Moïse qu'il est écrit : *Tu ne muselleras pas le bœuf qui foule le grain.* Dieu se mettrait-il en peine des bœufs ? [10] N'est-ce pas pour nous qu'il parle, évidemment ? Oui, c'est pour nous que cela a été écrit : celui qui laboure doit labourer dans l'espérance, et celui qui foule le grain, dans l'espérance d'en avoir sa part. [11] Si nous avons semé en vous les biens spirituels, est-ce chose extraordinaire que nous récoltions vos biens temporels[a] ? [12] Si d'autres ont ce droit sur vous, ne l'avons-nous pas davantage ? Cependant, nous n'avons pas usé de ce droit. Nous supportons tout au contraire pour ne créer nul obstacle à l'Évangile du Christ. [13] Ne savez-vous pas que les ministres du culte vivent du culte, que ceux qui servent à l'autel partagent avec l'autel ? [14] De même aussi le Seigneur a prescrit à ceux qui annoncent l'Évangile de vivre de l'Évangile[b].

[15] Mais je n'ai usé, moi, d'aucun de ces droits, et je n'écris pas cela pour en profiter à mon tour ; plutôt mourir que de... Non, personne ne me ravira ce titre de gloire. [16] Prêcher l'Évangile en effet n'est pas pour moi un titre de gloire ; c'est une nécessité qui pèse sur moi[c]. Oui, malheur à moi si je ne prêchais pas l'Évangile ! [17] Si j'avais l'initiative de cette tâche, j'aurais droit, certes, à une récompense ; si je ne l'ai pas, c'est une charge qui m'est confiée. [18] Quelle est donc ma récompense[d] ? C'est, dans ma prédication, d'offrir gratuitement l'Évangile, en renonçant au droit que me confère l'Évangile.

[19] Oui, libre à l'égard de tous, je me suis fait l'esclave de tous, afin d'en gagner le plus grand nombre. [20] Je me

---

a) Même pensée dans Rm **15** 27.
b) Lc **10** 7 : « L'ouvrier a droit à son salaire ».
c) Ac **9** 15-16 ; **22** 14-15 ; **26** 16-18.
d) On peut aussi traduire, en interprétant le terme grec comme une métonymie : « Où est donc pour moi le droit à une récompense ? »

suis fait Juif avec les Juifs, afin de gagner les Juifs ; sujet
de la Loi avec les sujets de la Loi, — moi qui ne suis pas
sujet de la Loi, — afin de gagner les sujets de la Loi. [21] Je
me suis fait un sans-loi avec les sans-loi, — moi qui ne
suis pas sans une loi de Dieu, étant sous la loi du Christ,
— afin de gagner les sans-loi. [22] Je me suis fait faible avec
les faibles, afin de gagner les faibles[a]. Je me suis fait tout
à tous, afin d'en sauver à tout prix quelques-uns. [23] Et tout
cela, je le fais pour l'Évangile, afin d'en avoir ma part.

[24] Ne savez-vous pas que dans les courses du stade,
tous courent, mais un seul remporte le prix. Courez donc
de manière à le remporter. [25] Tout concurrent se prive de
tout ; mais eux, c'est pour obtenir une couronne périssable,
nous, une impérissable. [26] Et c'est bien ainsi que je cours,
moi, non à l'aventure ; c'est ainsi que je fais du pugilat,
sans frapper dans le vide. [27] Je meurtris mon corps[b] au
contraire et le traîne en esclavage, de peur qu'après avoir
servi de héraut pour les autres, je ne sois moi-même
disqualifié[c].

Le point de vue de la prudence et les leçons du passé d'Israël.

10. [1] Car je ne veux pas
que vous l'ignoriez, frères :
nos pères ont tous été sous
la nuée[d], tous ont passé à
travers la mer[e], [2] tous ont
été baptisés en Moïse[f] dans

---

22. « *afin d'en sauver à tout prix quelques-uns* » *S A B* ; « *afin de les sauver tous* » *D G* 33 *Lat.*

---

a) Cf. Rm **14** 1 ; **15** 1 ; 2 Co **11** 29 ; 1 Th **5** 14.

b) Litt. (tel un pugiliste) « je frappe mon corps dans la région au-dessous des yeux ». Le terme est technique, mais il devait être courant.

c) Nous avons adopté ce terme pour conserver la couleur de ce passage, où Paul emploie des termes empruntés au vocabulaire sportif de l'époque.

d) Ex **13** 21.

e) Ex **14** 22.

f) C'est-à-dire : lui ont été intimement unis.

la nuée et dans la mer, [3] tous ont mangé le même aliment spirituel[a] [4] et tous ont bu le même breuvage spirituel[b], — ils buvaient en effet à un rocher spirituel[c] qui les accompagnait, et ce rocher était le Christ[d]; — [5] cependant, ce n'est pas le plus grand nombre d'entre eux qui plut à Dieu, puisque leurs corps jonchèrent le désert[e].

[6] Ces faits se sont produits pour nous servir d'exemples[f], pour que nous n'ayons pas de convoitises mauvaises, comme ils en eurent eux-mêmes. [7] Ne devenez pas idolâtres comme certains d'entre eux, dont il est écrit : *Le* Ex **32** 6 *peuple s'assit pour manger et boire, puis ils se levèrent pour s'amuser.* [8] Et ne forniquons pas, comme le firent certains d'entre eux; et il en tomba vingt-trois mille en un seul jour[g]. [9] Ne tentons pas non plus le Seigneur, comme le firent certains d'entre eux; et ils périrent victimes des serpents[h]. [10] Et ne murmurez pas, comme le firent certains d'entre eux; et ils périrent victimes de l'Exterminateur[i].

[11] Cela leur arrivait pour servir d'exemple[j], et a été écrit pour notre instruction à nous qui touchons à la fin

---

10 9. « *le Seigneur* » *S B C ;* « *le Christ* » *D E F P*[46] *grand nombre de minuscules Lat Syr.* — « *ils périrent* » *C D E F G ;* « *ils périssaient* » *S A B.*

a) La manne. Ex **16** 4-35.

b) L'eau que Dieu fit jaillir du rocher. Ex **17** 5-6; Nb **20** 7-11.

c) Allusion à une légende rabbinique, selon laquelle le rocher d'où Moïse fit sortir l'eau accompagna les Israélites dans leur marche à travers le désert.

d) Déjà les docteurs juifs avaient tendance à identifier ce rocher avec Yahvé, identification favorisée par certaines expressions bibliques (Ex **17** 6), et aussi par le fait que dans l'A. T., les Psaumes surtout, Yahvé est appelé le Rocher d'Israël. Paul attribue au Christ préexistant les prérogatives de Yahvé (cf. Jn **12** 41).

e) Nb **14** 16.

f) Autre traduction : « Ce sont là des fait figuratifs (ou : des *types*) par rapport à nous ».

g) Nb **25** 1-9. Le récit biblique a : « vingt-quatre mille ».

h) Nb **21** 5-6.

i) Nb **17** 6-15. L'*Exterminateur,* c'est-à-dire l'ange exécuteur des châtiments divins (cf. Ex **12** 23) ne figure pas dans ce récit.

j) Voir **10** 6 et la note.

des temps[a]. 12 Ainsi donc, que celui qui se flatte d'être debout prenne garde de tomber. 13 Aucune tentation ne vous est survenue, qui passât la mesure humaine. Dieu est fidèle; il ne permettra pas que vous soyez tentés au delà de vos forces. Avec la tentation, il vous donnera le moyen d'en sortir et la force de la supporter.

Les repas sacrés. Ne point pactiser avec l'idolâtrie.

14 C'est pourquoi, mes bien-aimés, fuyez l'idolâtrie. 15 Je vous parle comme à des gens sensés; jugez vous-mêmes de ce que je dis. 16 La coupe de bénédiction que nous bénissons[b] n'est-elle pas communion au sang du Christ ? Le pain que nous rompons n'est-il pas communion au corps du Christ ? 17 Puisqu'il n'y a qu'un pain, à nous tous nous ne formons qu'un corps, car tous nous avons part à ce pain unique. 18 Considérez l'Israël selon la chair[c]. Ceux qui mangent les victimes ne sont-ils pas en communion avec l'autel ? 19 Qu'est-ce à dire ? Que la viande sacrifiée aux idoles soit quelque chose ? Ou que l'idole soit quelque chose ?... 20 Mais ce qu'on sacrifie, *c'est à des démons qu'on le sacrifie et à ce qui n'est pas Dieu*. Or, je ne veux pas que vous entriez en communion avec les démons. 21 Vous ne pouvez boire à la coupe du Seigneur et à la coupe des démons; vous ne pouvez partager la table du Seigneur et la table des démons. 22 Ou bien voudrions-nous provoquer la jalousie du Seigneur[d] ? Serions-nous plus forts que lui ?

Dt 32 17

---

a) C'est-à-dire : les temps messianiques.

b) C'est-à-dire : la coupe sur laquelle nous prononçons la bénédiction, comme le Christ lors de la dernière Cène.

c) C'est-à-dire l'Israël de l'histoire. Les chrétiens, eux, sont « l'Israël de Dieu » (Ga 6 16).

d) Dans l'A. T., on provoque la *jalousie* de Yahvé, toutes les fois que l'on rend un culte aux faux dieux.

[23] « Tous est permis »[a]; mais tout n'est pas profitable. « Tout est permis »; mais tout n'édifie pas[b]. [24] Que personne ne cherche son propre intérêt, mais celui d'autrui. [25] Mangez tout ce qui se vend au marché, sans poser de question par motif de conscience; [26] car *la terre est au Seigneur, et tout ce qu'elle contient*. [27] Si un infidèle vous invite et que vous acceptiez d'y aller, mangez tout ce qu'on vous servira, sans poser de question par motif de conscience. [28] Mais si quelqu'un vous dit : « Ceci a été offert en sacrifice », n'en mangez pas, à cause de celui qui vous a prévenus, et par motif de conscience. [29] Par conscience j'entends non la vôtre, mais celle d'autrui; car pourquoi ma liberté relèverait-elle du jugement d'une conscience étrangère ? [30] Si je prends quelque chose en rendant grâces, pourquoi serais-je blâmé pour ce dont je rends grâces ?

Les idolothytes.

Solutions pratiques.

Ps **24** 1

[31] Soit donc que vous mangiez, soit que vous buviez, et quoi que vous fassiez, faites tout pour la gloire de Dieu. [32] Ne donnez scandale ni aux Juifs, ni aux Grecs, ni à l'Église de Dieu, [33] tout comme moi, je m'efforce de plaire en tout à tous, ne cherchant pas mon propre intérêt, mais celui du plus grand nombre, afin qu'ils soient sauvés.

Conclusion.

11. [1] Montrez-vous mes imitateurs[c], comme je le suis moi-même du Christ.

---

a) Voir **6** 12.

b) L'usage fréquent de ce terme en a émoussé la vigueur. Il faut l'entendre en son sens premier de construire, bâtir l'édifice spirituel qu'est le chrétien. Paul en fait un fréquent usage : 1 Co **8** 1, 10; **14** 4, 17; 1 Th **5** 11; 2 Co **10** 8.

c) Cf. 1 Co **4** 16; Ph **3** 17; 1 Th **1** 6; 2 Th **3** 7, 9.

III. LE BON ORDRE DANS LES ASSEMBLÉES

La tenue des femmes.
² Je vous félicite de ce qu'en toutes choses vous vous souvenez de moi et gardes les traditions*ᵃ*, telles que je vous les ai transmises. ³ Je veux cependant que vous le sachiez : le chef de tout homme, c'est le Christ; le chef de la femme, c'est l'homme; et le chef du Christ, c'est Dieu *ᵇ*. ⁴ Tout homme qui prie ou prophétise*ᶜ* le chef couvert fait affront à son chef*ᵈ*. ⁵ Toute femme qui prie ou prophétise le chef découvert fait affront à son chef*ᵉ*; c'est exactement comme si elle était tondue*ᶠ*. ⁶ Si donc une femme ne met pas de voile, alors, qu'elle se coupe les cheveux ! Mais si c'est une honte pour une femme d'avoir les cheveux coupés ou tondus, qu'elle mette un voile.

⁷ L'homme, lui, ne doit pas se couvrir la tête, parce qu'il est l'image et le reflet de Dieu; quant à la femme,

---

a) C'est-à-dire les enseignements de la catéchèse.

b) « Saint Paul énonce l'ordre qui existe dans le christianisme, en tant qu'il est une hiérarchie... Cette subordination de la femme dans le christianisme a son fondement dans l'ordre même de la création... Cette hiérarchie qui met l'homme au-dessus de la femme est celle de l'autorité, non de la sainteté » (Huby).

c) *Prophétiser,* c'est parler sous l'inspiration de l'Esprit pour exhorter, édifier, lire dans les cœurs, prédire l'avenir.

d) C'est-à-dire au Christ, dont il semble se cacher, au lieu d'en « refléter la gloire, le visage découvert » (2 Co **3** 18).

e) C'est-à-dire à son mari, en ayant l'air ainsi de se donner pour son égale.

f) Ironie. Que la femme aille donc jusqu'au bout ! Elle a commencé par enlever le voile; il ne lui reste plus qu'à se faire tondre. Paul est visiblement agacé. — Après avoir remarqué que les femmes grecques ôtaient leur voile dans les réunions de culte, Allo continue : « Les Corinthiennes avaient introduit cet usage dans les assemblées chrétiennes, contre la pratique d'autres lieux. Paul n'y aurait peut-être pas trouvé à redire, s'il n'y avait vu le symptôme d'une tendance dangereuse à l'émancipation totale, poursuivie sans doute sous prétexte de « liberté évangélique ». »

elle est le reflet de l'homme. [8] Ce n'est pas l'homme en effet qui a été tiré de la femme, mais la femme de l'homme; [9] et ce n'est pas l'homme, bien sûr, qui a été créé pour la femme, mais la femme pour l'homme[a]. [10] Voilà pourquoi la femme doit avoir sur la tête un signe de sujétion[b], à cause des anges[c]. [11] D'ailleurs, dans le Seigneur, la femme ne va pas sans l'homme, ni l'homme sans la femme; [12] car si la femme a été tirée de l'homme, l'homme à son tour naît de la femme, et tout vient de Dieu.

[13] Jugez-en par vous-mêmes. Est-il décent que la femme prie Dieu la tête découverte ? [14] La nature[d] elle-même ne vous enseigne-t-elle pas que c'est une honte pour l'homme de porter les cheveux longs, [15] tandis que c'est une gloire pour la femme de les porter ainsi ? Car la chevelure lui été donnée en guise de voile.

[16] Au reste, si quelqu'un veut ergoter, tel n'est pas notre usage, ni celui des Églises de Dieu[e].

Le « Repas du Seigneur ».

[17] Et puisque j'en suis aux observations, je n'ai pas à vous louer de ce que vos réunions vous font du mal et non du bien. [18] J'apprends tout d'abord que lorsque vous vous réunissez en assemblée, il y a parmi vous des divisions[f], et je le crois en partie. [19] Il faut bien qu'il y ait aussi des scissions parmi vous, pour permettre aux hommes

---

a) Allusion à Gn **2** 21-23.

b) Litt. « une puissance », « une autorité ». Texte difficile, et qui n'a pas encore reçu d'explication satisfaisante.

c) Qui sont les gardiens du bon ordre dans les assemblées.

d) Argument à la mode stoïcienne, dont le temps a quelque peu émoussé la valeur.

e) C'est l'argument qui coupe court à toute discussion. Les « Églises de Dieu » sont peut-être les Églises judéo-chrétiennes (1 Th **2** 14; 2 Th **1** 4), comme les « Églises des saints » de 1 Co **14** 33.

f) Ou : « des groupes séparés ».

de vertu éprouvée de se manifester parmi vous. [20] Lors
donc que vous vous réunissez en commun, il n'est pas
question de prendre le Repas du Seigneur[a]. [21] Dès qu'on
est à table en effet, chacun, sans attendre, prend son
propre repas, et l'un a faim, tandis que l'autre est ivre.
[22] Vous n'avez donc pas de maisons pour manger et boire ?
Ou bien méprisez-vous l'Église de Dieu, et voulez-vous
faire affront à ceux qui n'ont rien ? Que vous dire ? Vous
louer ? Sur ce point, je ne vous loue pas.

[23] Pour moi en effet, j'ai reçu du Seigneur[b] ce qu'à mon
tour je vous ai transmis : le Seigneur Jésus, la nuit où il
était livré, prit du pain [24] et, après avoir rendu grâces, le
rompit et dit : « Ceci est mon corps, qui est pour vous ;
faites ceci en mémoire de moi. » [25] De même, après le
repas, il prit la coupe en disant : « Cette coupe est la nouvelle Alliance en mon sang ; toutes les fois que vous en
boirez, faites-le en mémoire de moi[c]. » [26] Chaque fois
en effet que vous mangez ce pain et que vous buvez cette
coupe, vous annoncez la mort du Seigneur, jusqu'à ce
qu'il vienne. [27] C'est pourquoi, quiconque mange le pain

|| Mt **26** 26-29
|| Mt **14** 22-25
|| Lc **22** 14-20

---

11 24. « *mon corps, qui est pour vous* » *S¹ A B C¹*; « *mon corps, rompu pour
vous* » *Sᶜ Cᶜ E F G.*

---

a) C'est-à-dire le repas commémoratif du repas par excellence que le
Seigneur avait pris avec ses disciples, le dernier, et où il avait institué
l'Eucharistie. Les Corinthiens faisaient précéder le repas liturgique d'un
repas commun, première forme de l'agape. Paul blâme cet usage (v. 34),
et en condamne les abus (21-22).

b) Il ne s'agit pas d'une révélation sur l'institution de l'Eucharistie, dont
Paul n'avait nul besoin pour apprendre ce que tout le monde savait dans
l'Église, mais de lumières spéciales reçues du Seigneur sur le sens profond
de ce Repas (v. 26).

c) Le récit de Paul se rapproche de celui de Luc qui, seul de tous les
évangélistes, relate les paroles : « Faites ceci en mémoire de moi » (Lc **22**
19). Cf. Mt **26** 26-29 ; Mc **14** 22-25 ; Lc **22** 14-20.

ou boit la coupe du Seigneur indignement se rendra coupable à l'égard du corps et du sang du Seigneur[a].

[28] Que chacun donc s'éprouve soi-même, et qu'il mange alors de ce pain et boive de cette coupe; [29] car celui qui mange et boit, mange et boit sa propre condamnation, s'il ne discerne le Corps[b]. [30] C'est pour cela qu'il y a parmi vous beaucoup de malades et d'infirmes, et que bon nombre sont morts[c]. [31] Si nous nous examinions nous-mêmes, nous ne serions pas jugés. [32] Mais par ses jugements le Seigneur nous corrige, afin que nous ne soyons point condamnés avec le monde[d].

[33] Ainsi donc, mes frères, quand vous vous réunissez pour le Repas, attendez-vous les uns les autres. [34] Si quelqu'un a faim, qu'il mange chez lui, afin de ne pas vous réunir pour votre condamnation. Quant au reste, je le réglerai lors de ma venue.

Les dons spirituels ou « charismes ».

12. [1] Pour ce qui est des dons spirituels[e], frères, je ne veux pas vous voir dans l'ignorance. [2] Quand vous

---

29. « *qui mange et boit* » *S*° *A B C*°; « *qui mange et boit indignement* » *D G nombre de minuscules Lat Syr*.

---

a) Affirmation très nette de la « présence réelle ». De même au v. 29.

b) Le Corps par excellence, c'est-à-dire celui du Seigneur.

c) C'est parce que bien des fidèles de Corinthe se sont montrés irrévérencieux envers « le corps et le sang du Seigneur » qu'ils ont été frappés de maladie et même de mort.

d) Ces châtiments sont donc « médicinaux ».

e) Ce sont des faveurs accordées par le Saint Esprit à certains membres de la communauté. Elles avaient pour but de manifester d'une manière sensible la présence de l'Esprit, et aussi d'assurer, en ces temps où la hiérarchie existait à peine, le bon fonctionnement des Églises. Mais leur multiplicité comme le caractère bruyant et quelque peu étrange de certaines d'entre elles risquaient de semer l'anarchie. Là encore, Paul intervient avec sa lucidité et sa passion de l'ordre coutumières : 1. Toutes ces faveurs viennent de l'Esprit. 2. Elles sont toutes accordées en vue du bien de la communauté. 3. Leur hiérarchie s'établit d'après la hiérarchie même

étiez païens, vous le savez, vous étiez entraînés irrésistiblement vers les idoles muettes[a]. [3] Voilà pourquoi, je
vous le déclare : personne, parlant en l'Esprit de Dieu, ne
dit : « Anathème à Jésus », et nul ne peut dire : « Seigneur
Jésus », s'il n'est dans l'Esprit Saint[b].

**Diversité et unité
des charismes.**

[4] Il y a, certes, diversité
de dons spirituels, mais c'est
le même Esprit; [5] diversité
de ministères, mais c'est le
même Seigneur; [6] diversité d'opérations, mais c'est le
même Dieu qui opère tout en tous[c]. [7] A chacun la manifestation de l'Esprit est donnée en vue du bien commun.
[8] A l'un, c'est une parole de sagesse[d] qui est donnée par
l'Esprit; à tel autre une parole de science[e], selon ce même
Esprit; [9] à un autre la foi[f], dans ce même Esprit; à tel
autre, le don de guérir, dans cet unique Esprit; [10] à tel
autre la puissance d'opérer des miracles; à tel autre la
prophétie[g]; à tel autre le discernement des esprits[h]; à un

---

des services qu'elles rendent. 4. En particulier, la *prophétie* est de beaucoup
supérieure à la *glossolalie,* dont les Corinthiens étaient si fiers. 5. Enfin
au-dessus de tout cela plane la charité. — Ces dons spirituels sont souvent
appelés *charismes,* simple transcription du mot grec qui les désigne. Outre
1 Co **12** 8-10, on trouve des énumérations de *charismes* 1 Co **12** 28-30;
Rm **12** 6-8; Ep **4** 11. Nulle part Paul n'a l'intention de donner une liste
ordonnée et complète.

a) Allusions aux phénomènes violents, orgiastiques, de certains cultes
païens. Voir Introduction, p. 13.

b) Cf. 1 Co **2** 9-12.

c) Noter la présentation trinitaire de la pensée.

d) Par *parole de sagesse* il faut sans doute entendre le don d'exposer les
plus hautes vérités chrétiennes, celles qui ont trait à la vie divine et à la vie de
Dieu en nous : « l'enseignement parfait » de He **6** 1. Voir aussi 1 Co **2** 6-16.

e) La *parole de science* doit être le don d'exposer les vérités élémentaires
du christianisme : « l'enseignement élémentaire sur le Christ » de He **6** 1.

f) Il s'agit de la *foi* à un degré extraordinaire, la « foi à transporter les
montagnes » de **13** 2.

g) Sur la *prophétie,* voir **11** 4.

h) Le *discernement des esprits* est le don de déterminer l'origine des phénomènes charismatiques (Dieu, la nature, le Malin).

autre les diversités de langues[a], à tel autre le don de les interpréter[b]. [11] Mais tout cela, c'est le seul et même Esprit qui l'opère, distribuant ses dons à chacun en particulier comme il l'entend.

Comparaison du corps. [12] De même, en effet, que le corps est un, tout en ayant plusieurs membres, et que tous les membres du corps, en dépit de leur pluralité, ne forment qu'un seul corps, ainsi en est-il du Christ[c]. [13] Aussi bien est-ce en un seul Esprit que nous tous avons été baptisés pour ne former qu'un seul corps, Juifs ou Grecs, esclaves ou hommes libres, et tous nous avons été abreuvés d'un seul Esprit.

[14] De fait le corps ne se compose pas d'un membre unique, mais de plusieurs. [15] Si le pied disait : « Je ne suis pas la main; je ne fais donc pas partie du corps », en serait-il moins du corps pour cela ? [16] Et si l'oreille disait : « Je ne suis pas l'œil; je ne fais donc pas partie du corps », en serait-elle moins du corps pour cela ? [17] Si tout le corps était œil, où serait l'ouïe ? Si tout était oreille, où serait l'odorat ?

[18] Mais Dieu a placé les membres, et chacun d'eux dans le corps, selon qu'il l'a voulu. [19] Si le tout était un

---

a) Le charisme des *langues* ou « glossolalie » est le don de louer Dieu en proférant, sous l'action de l'Esprit Saint et dans un état plus ou moins extatique, des sons inintelligibles. C'est ce que Paul appelle « parler en langues » (1 Co **14** 5, 6, 18, 23, 39), ou « parler en langue » (1 Co **14** 2, 4, 9, 13, 14, 19, 26, 27). Ce charisme remonte à la toute primitive Église, où il était le premier effet sensible de la descente de l'Esprit dans les âmes. Voir Ac **2** 3-4; **10** 44-46 et **11** 15; **19** 6.

b) L'*interprétation des langues* est le don de comprendre et d'interpréter le mystérieux langage des « glossolales ».

c) Le Christ est le principe unificateur de son Église. « De même que le corps humain ramène à l'unité la pluralité des membres, ainsi le Christ a beaucoup de membres et ramène à l'unité du corps tous les chrétiens » (Cerfaux).

seul membre, où serait le corps ? [20] Mais il y a plusieurs membres, et cependant un seul corps. [21] L'œil ne peut donc dire à la main : « Je n'ai pas besoin de toi », ni la tête à son tour ne peut dire aux pieds : « Je n'ai pas besoin de vous. »

[22] Bien plus, les membres du corps que nous tenons pour les plus faibles sont nécessaires; [23] et ceux que nous tenons pour les moins honorables du corps sont ceux-là mêmes que nous entourons de plus d'honneur. Ainsi nos membres indécents sont traités avec le plus de décence; [24] nos membres décents n'en ont pas besoin. Mais Dieu a disposé le corps de manière à donner davantage d'honneur à ce qui en manque, [25] afin qu'il n'y ait point de division dans le corps, mais qu'au contraire les membres se témoignent une mutuelle sollicitude. [26] Un membre souffre-t-il ? tous les membres souffrent avec lui. Un membre est-il à l'honneur ? tous les membres prennent part à sa joie.

[27] Or vous êtes le corps du Christ, et membres chacun pour sa part. [28] Il en est que Dieu a établis dans l'Église, premièrement comme apôtres, deuxièmement comme prophètes[a], troisièmement comme docteurs[b]... Puis ce sont les miracles, puis le don de guérir, d'assister[c], de gouverner[d], les diversités de langues. [29] Tous sont-ils apôtres ? Tous prophètes ? Tous docteurs ? Tous font-ils des miracles ? [30] Tous ont-ils le don de guérir ? Tous parlent-ils en langues ? Tous interprètent-ils ?

---

12 27. *La leçon de Vulg : « membra de membro » est à rejeter.*

---

a) Les *prophètes* sont ceux qui ont le don de prophétie. Voir **11** 4.

b) Les *docteurs* sont « les chrétiens instruits chargés dans chaque Église de l'enseignement régulier et ordinaire » (Allo).

c) Le don d'*assister* est celui de se consacrer aux œuvres de charité, d' « assistance ».

d) Le don de *gouverner* consiste à administrer et à diriger les Églises.

La hiérarchie des charismes. Hymne à la charité.

[31] Aspirez aux dons supérieurs. Et je vais encore vous montrer une voie qui les dépasse toutes.

13. [1] Quand je parlerais les langues des hommes et des anges[a], si je n'ai pas la charité[b], je ne suis plus qu'airain qui sonne ou cymbale qui retentit. [2] Quand j'aurais le don de prophétie et que je connaîtrais tous les mystères et toute la science, quand j'aurais la plénitude de la foi, une foi à transporter les montagnes[c], si je n'ai pas la charité, je ne suis rien. [3] Quand je distribuerais tous mes biens en aumônes[d], quand je livrerais mon corps aux flammes, si je n'ai pas la charité, cela ne me sert de rien.

[4] La charité est longanime; la charité est serviable; elle n'est pas envieuse; la charité ne fanfaronne pas, ne se rengorge pas; [5] elle ne fait rien d'inconvenant, ne cherche pas son intérêt, ne s'irrite pas, ne tient pas compte du mal[e]; [6] elle ne se réjouit pas de l'injustice; mais elle met sa joie dans la vérité. [7] Elle excuse tout, croit tout, espère tout, supporte tout[f].

[8] La charité ne passe jamais. Les prophéties ? elles disparaîtront. Les langues ? elles se tairont. La science ? elle

---

13 3. « *Quand je distribuerais tous mes biens en aumônes, quand je livrerais mon corps aux flammes* » *D G L grand nombre de minuscules Lat Syr* ; « *quand je distribuerais tous mes biens en aumônes pour en tirer gloire* » *S A B P*[46].

---

a) C'est-à-dire toutes les langues possibles et imaginables. L'allusion est évidemment à la « glossolalie ». Dans ces deux premiers vv., Paul prend quelques « charismes » en exemple.
b) Il s'agit directement et principalement de la charité envers le prochain (4-7), mais l'amour de Dieu, qui en est la source, n'est pas exclu (13).
c) Cf. Mt **17** 20; **21** 21; Mc **11** 23.
d) Litt. « quand je donnerais par morceaux tous mes biens ».
e) Ou bien « ne pense pas à mal ».
f) Elle fait confiance au prochain.

disparaîtra. [9] Car partielle est notre science[a], partielle aussi notre prophétie. [10] Quand donc viendra ce qui est parfait, ce qui est partiel disparaîtra. [11] Lorsque j'étais enfant, je parlais en enfant, je pensais en enfant, je raisonnais en enfant; une fois devenu homme, j'ai fait disparaître ce qui était de l'enfant. [12] Aujourd'hui, certes, nous voyons dans un miroir[b], en énigme, mais alors ce sera face à face. Aujourd'hui, je connais d'une manière partielle; mais alors je connaîtrai comme je suis connu.

[13] Présentement demeurent foi, espérance, charité, toutes ces trois[c], mais la plus grande d'entre elles, c'est la charité.

Hiérarchie des charismes en vue de l'utilité commune.

14. [1] Recherchez la charité; aspirez aussi aux dons spirituels, surtout à la prophétie. [2] Car celui qui parle en langue ne parle pas aux hommes, mais à Dieu; personne en effet ne le comprend : il dit en esprit des choses mystérieuses. [3] Celui qui prophétise au contraire parle aux hommes; il édifie, exhorte, console. [4] Celui qui parle en langue s'édifie lui-même, celui qui prophétise édifie l'assemblée. [5] Je voudrais, certes, que vous parliez tous en langues, mais plus encore que vous prophétisiez; car celui qui prophétise l'emporte sur celui qui parle en langues. A moins que ce dernier n'interprète, pour que l'assemblée en tire édification.

[6] Et maintenant, frères, supposons que je vienne chez vous et vous parle en langues, en quoi vous serai-je utile, si ma parole ne vous apporte ni révélation, ni science, ni

---

a) Litt. « car c'est partiellement que nous connaissons ».

b) Le miroir ne donne que l'image de l'objet. Il faut ajouter que les miroirs des anciens n'avaient point l'éclat des nôtres.

c) Ou bien : « Il ne reste donc que ces trois choses ».

prophétie, ni enseignement ? [7] Ainsi en est-il des instruments de musique, flûte ou cithare; s'ils ne donnent pas distinctement les notes, comment reconnaîtra-t-on ce que joue la flûte ou la cithare ? [8] Et si la trompette n'émet qu'un son confus, qui se préparera au combat ? [9] Ainsi de vous : si votre langue n'émet pas de paroles distinctes, comment comprendra-t-on ce que vous dites ? Vous parlerez à l'air. [10] Il y a, de par le monde, je ne sais combien d'espèces de langages, et rien n'est sans langage[a]. [11] Mais si j'ignore la valeur du langage, je ferai l'effet d'un barbare[b] à celui qui parle, et celui qui parle me fera, à moi, l'effet d'un barbare. [12] Ainsi donc, vous aussi, puisque vous êtes avides d'esprits[c], cherchez à y abonder pour que l'assemblée en tire édification.

[13] C'est pourquoi celui qui parle en langue doit prier pour interpréter. [14] Car, si je prie en langue, mon esprit est bien en prière, mais mon intelligence est stérile[d]. [15] Que faire donc ? Je prierai avec l'esprit, mais je prierai aussi avec l'intelligence. Je dirai un hymne avec l'esprit, mais je le dirai aussi avec l'intelligence. [16] Autrement, si tu ne bénis qu'en esprit, comment celui qui a rang de non-initié[e] répondra-t-il « Amen ! » à ton action de grâces, puisqu'il ne sait pas ce que tu dis ? [17] Ton action de grâces, certes, est excellente, mais l'autre n'en est pas édifié. [18] Je rends grâces à Dieu de ce que je parle en langues plus que vous tous; [19] mais dans une assemblée,

---

a) Ou bien : « et aucun n'est dépourvu de sens ».

b) Un *barbare* est un étranger, qui profère des sons inintelligibles, un « bafouilleur ». Les Grecs appelaient ainsi ceux qui ne parlaient pas leur langue.

c) C'est-à-dire des dons (prophétie, glossolalie, etc.) conférés par l'Esprit.

d) L'*esprit* a perdu conscience de lui-même dans l'état d'extase. Dans la prière du glossolale, il n'y a donc rien d'assimilable pour l'*intelligence*, qui ne peut en retirer aucun bénéfice spirituel.

e) C'est-à-dire celui qui n'est pas favorisé de semblables charismes.

j'aime mieux dire cinq mots avec mon intelligence, pour instruire aussi les autres, que dix mille en langue.

²⁰ Frères, ne vous montrez pas enfants pour le jugement; des petits enfants pour la malice, soit, mais pour le jugement montrez-vous des hommes faits. ²¹ Il est écrit dans la Loi *a* : *C'est par des hommes d'une autre langue et par* Is **28** 11-12 *des lèvres d'étrangers que je parlerai à ce peuple, et même alors ils ne m'écouteront pas,* dit le Seigneur. ²² Ainsi donc, les langues servent de signe non pour les croyants, mais pour les infidèles : la prophétie, elle, n'est pas pour les infidèles mais pour les croyants. ²³ Si donc l'Église entière s'assemble et que tous parlent en langues, et qu'il entre des non-initiés ou des infidèles *b*, ne diront-ils pas que vous êtes fous ? ²⁴ Mais si tous prophétisent et qu'il entre un infidèle ou un non-initié, le voilà repris par tous, jugé par tous; ²⁵ les secrets de son cœur sont mis à nu. Alors, tombant la face contre terre, il adorera Dieu, en proclamant que *Dieu est réellement parmi vous.* Is **45** 14
Za **8** 23

²⁶ Que conclure, frères ?

Les charismes. Lorsque vous vous assem-
Règles pratiques. blez, chacun peut avoir un cantique, un enseignement, une révélation, un discours en langue, une interprétation. Que tout se passe de manière à édifier. ²⁷ Parle-t-on en langue ? Que ce soit le fait de deux ou de trois tout au plus, et à tour de rôle; et qu'il y ait un interprète. ²⁸ S'il n'y a pas d'interprète, qu'on se taise dans l'assemblée; qu'on se parle à soi-même et à Dieu. ²⁹ Pour les prophètes, qu'il y en ait deux ou trois à parler, et que les autres jugent.

---

a) Texte cité et interprété fort librement.

b) Les infidèles pouvaient donc assister, au moins partiellement, à certaines réunions de la communauté. Sur les non-initiés, voir **14** 16 et la note.

[30] Si quelque autre assistant a une révélation, que le premier se taise. [31] Car vous pouvez tous prophétiser à tour de rôle, afin que tous soient instruits et tous encouragés. [32] Les esprits des prophètes sont soumis aux prophètes; [33] car Dieu n'est pas un Dieu de désordre, mais de paix[a].

Comme dans toutes les Églises des saints[b], [34] que les femmes se taisent dans les assemblées, car il ne leur est pas permis de prendre la parole; qu'elles se tiennent dans la soumission, ainsi que la Loi même le dit[c]. [35] Si elles veulent s'instruire sur quelque point, qu'elles interrogent leur mari à la maison; car il est inconvenant pour une femme de parler dans une assemblée[d]. [36] Est-ce de chez vous qu'est sortie la parole de Dieu ? Est-ce à vous seuls qu'elle est parvenue[e] ? [37] Si quelqu'un se croit prophète ou inspiré par l'Esprit, qu'il reconnaisse en ce que je vous écris un commandement du Seigneur. [38] S'il l'ignore, c'est qu'il est ignoré[f].

[39] Ainsi donc, mes frères, aspirez au don de prophétie, et n'empêchez pas de parler en langues. [40] Mais que tout se passe décemment et dans l'ordre.

---

14 38. « *c'est qu'il est ignoré* » *S A D Vulg* ; « *qu'il l'ignore* » *B E P*[46] *plusieurs minuscules et Versions.*

---

a) Maxime d'or, demeurée chère à l'Église.
b) Voir 1 Co **11** 16 et la note.
c) Allusion à Gn **3** 16.
d) Paul se montre ici plus sévère que **11** 5, où il semblait admettre que la femme peut « prier » ou « prophétiser » dans l'assemblée.
e) Voir **1** 2 et la note.
f) Il est ignoré de Dieu, qui ne le reconnaît pas pour sien.

III

LA RÉSURRECTION DES MORTS

**Le fait
de la résurrection.**

15. [1] Je vous rappelle, frères, l'Évangile que je vous ai annoncé, que vous avez reçu et dans lequel vous demeurez fermes, [2] par lequel aussi vous serez sauvés, si vous le gardez tel que je vous l'ai annoncé... Autrement, vous auriez cru en vain.

[3] Je vous ai donc transmis tout d'abord ce que j'avais moi-même reçu[a], à savoir que le Christ est mort pour nos péchés selon les Écritures, [4] qu'il a été mis au tombeau, qu'il est ressuscité le troisième jour selon les Écritures, [5] qu'il est apparu à Céphas, puis aux Douze. [6] Ensuite, il est apparu à plus de cinq cents frères à la fois — la plupart d'entre eux vivent encore et quelques-uns sont morts —; [7] ensuite il est apparu à Jacques, puis à tous les apôtres[b]. [8] Et, en tout dernier lieu, il m'est apparu à moi aussi, comme à l'avorton[c].

[9] Oui, je suis le moindre des apôtres; je ne mérite pas

---

a) Cf. **11** 23 et Lc **1** 2. Déjà, la Tradition !

b) Employé ici au sens large, ce mot désigne un groupe bien plus nombreux que celui des Douze. — Il semble que, dans son énumération, Paul suive un ordre chronologique. Les Synoptiques et l'évangile de saint Jean, d'ailleurs moins complets que Paul (ils ne mentionnent ni l'apparition aux 500 ni l'apparition à Jacques), envisagent les faits d'un autre point de vue.

c) Allusion au caractère anormal, violent, « chirurgical » de sa vocation. Peut-être Paul reprend-il une appellation méprisante dont le désignaient ses adversaires. — On remarquera que Paul ne met aucune différence entre l'apparition du chemin de Damas et les apparitions de Jésus après la Résurrection.

le nom d'apôtre, parce que j'ai persécuté[a] l'Église de Dieu.
[10] C'est par une grâce de Dieu que je suis ce que je suis, et
sa grâce à mon égard n'a pas été stérile. Loin de là, j'ai
travaillé plus qu'eux tous : oh ! non pas moi, mais la grâce
de Dieu qui est avec moi[b].

[11] Bref, eux ou moi, voilà ce que nous prêchons. Et
voilà ce que vous avez cru.

[12] Or, si l'on prêche que le Christ est ressuscité des
morts[c], comment certains parmi vous peuvent-ils dire
qu'il n'y a pas de résurrection des morts ? [13] S'il n'y a pas
de résurrection des morts, le Christ non plus n'est pas
ressuscité. [14] Mais si le Christ n'est pas ressuscité, alors
notre prédication est vide[d], vide aussi votre foi. [15] Il se
trouve même que nous sommes des faux témoins de Dieu,
puisque nous avons attesté contre Dieu[e] qu'il a ressuscité
le Christ, alors qu'il ne l'a pas ressuscité, s'il est vrai que
les morts ne ressuscitent pas. [16] Car si les morts ne ressuscitent pas, le Christ non plus n'est pas ressuscité. [17] Et
si le Christ n'est pas ressuscité, votre foi est vaine; vous
êtes encore dans vos péchés[f]. [18] Alors aussi ceux qui
sont morts dans le Christ ont péri. [19] Si dans cette vie nous
n'avons fait qu'espérer dans le Christ[g], nous sommes les
plus à plaindre de tous les hommes[h].

---

a) Cf. Ga **1** 13, 23; Ph **3** 6; 1 Tm **1** 13; Ac **8** 3; **9** 2; **22** 4, 19.

b) Verset très paulinien, avec son mélange d'humilité et de fierté.

c) Bien remarquer la nature de la démonstration de Paul. Il ne cherche
pas à prouver à des païens la possibilité de la résurrection; il veut simplement montrer aux fidèles de Corinthe que la croyance à la résurrection
de Jésus et la pratique de la vie chrétienne impliquent inévitablement la
croyance à la résurrection des morts. C'est un argument *ad hominem*.

d) Parce qu'elle manque de ce qui lui donne son vrai sens.

e) Ou : « par Dieu ».

f) Si le Christ n'est pas ressuscité, toute son œuvre a échoué. Il ne peut
donc procurer aucun avantage à ceux qui croient en lui.

g) Ou : « Si c'est pour cette vie seulement que nous avons mis notre
espoir dans le Christ ».

h) Renoncer aux jouissances du temps présent est une duperie, si la

²⁰ Mais non*a*; le Christ est ressuscité des morts, prémices de ceux qui se sont endormis. ²¹ Car, la mort étant venue par un homme, c'est par un homme aussi que vient la résurrection des morts. ²² De même en effet que tous meurent en Adam, tous aussi revivront dans le Christ*b*. ²³ Mais chacun en son rang : en tête le Christ, comme prémices, ensuite ceux qui seront au Christ, lors de son Avènement. ²⁴ Puis ce sera la fin, quand il remettra la royauté à Dieu le Père, après avoir détruit toute Principauté, Domination et Puissance*c*. ²⁵ Car il faut qu'il règne *jusqu'à ce qu'il ait placé tous ses ennemis sous ses pieds*. Ps **110** 1 ²⁶ Le dernier ennemi détruit, c'est la Mort; ²⁷ car *il a tout* Ps **8** 7 *mis sous ses pieds*. Mais quand il dira*d* : « Tout est soumis désormais », c'est évidemment à l'exclusion de Celui qui lui a soumis toutes choses. ²⁸ Et quand toutes choses lui auront été soumises, alors le Fils lui-même se soumettra à Celui qui lui a tout soumis, afin que Dieu soit tout en tous.

²⁹ S'il en était autrement, que gagneraient ceux qui se font baptiser pour les morts*e* ? Si les morts ne ressuscitent

---

mort met fin à la vie d'une manière définitive. Paul n'envisage pas l'immortalité de l'âme séparée du corps, tant l'exemple du Christ domine sa pensée. Ce point de vue est radicalement opposé à celui de l'esprit grec, pour qui la résurrection des morts est un non-sens. Eschyle : « Lorsque la poussière a bu le sang d'un homme, s'il est mort, il n'est plus pour lui de résurrection. »

a) Et non pas « maintenant » (Allo).

b) L'antithèse Adam-Christ (ou : dernier Adam, **15** 45) est un des principes organisateurs de la pensée de Paul (1 Co **15** 21-22, 45-49; Rm **5** 12-21).

c) Toutes les puissances hostiles au règne de Dieu (cf. 1 Co **2** 6; Ep **1** 21; Col **1** 16; **2** 15; 1 P **3** 22.

d) Cette traduction nous paraît la seule grammaticalement possible. Une fois « tout mis sous ses pieds », Jésus se présentera devant son Père pour lui rendre compte de l'accomplissement de sa mission. Voici la traduction courante : « Mais lorsque *l'Écriture* dit que tout lui a été soumis... »

e) Allusion à une pratique dont la nature nous échappe, mais dont les Corinthiens pensaient qu'elle profitait aux morts en quelque manière. Encore un argument *ad hominem*.

absolument pas, pourquoi donc se fait-on baptiser pour eux ? [30] Et nous-mêmes, pourquoi à toute heure nous exposer au péril ? [31] Chaque jour je suis à la mort[a], aussi vrai, frères, que vous êtes ma fierté dans le Christ Jésus, notre Seigneur. [32] Si c'est dans des vues humaines que j'ai livré combat contre les bêtes[b] à Éphèse, que m'en revient-il ? Si les morts ne ressuscitent pas, *mangeons et buvons, car demain nous mourrons.* [33] Ne vous y trompez pas : « Les mauvaises compagnies corrompent les bonnes mœurs[c]. » [34] Dégrisez-vous, comme il sied, et ne péchez pas; car il en est parmi vous qui ignorent tout de Dieu. Je le dis à votre honte.

Is **22** 13

Le mode de la résurrection. [35] Mais, dira-t-on, comment les morts ressuscitent-ils[d] ? Avec quel corps reviennent-ils ? [36] Insensé ! Ce que tu sèmes, toi, ne reprend vie, s'il ne meurt. [37] Et ce que tu sèmes, ce n'est pas le corps à venir, mais un simple grain, de blé ou de quelque autre plante; [38] c'est Dieu qui lui donne un corps à son gré, à chaque semence le corps qui lui est propre.

[39] Toutes les chairs ne sont pas les mêmes, mais autre est la chair des hommes, autre la chair des bêtes, autre la chair des oiseaux, autre celle des poissons. [40] Il y a aussi des corps célestes et des corps terrestres, mais autre est l'éclat des célestes, autre celui des terrestres. [41] Autre l'éclat du soleil, autre l'éclat de la lune, autre l'éclat des

---

a) Cf. 2 Co **1** 8-10; **4** 10-12; **6** 9; **11** 23; Ac **9** 23, 29; **14** 19, etc.

b) N'est pas à entendre au sens littéral. Ne fait pas allusion à l'émeute des orfèvres (Ac **19** 23-40), postérieure à notre lettre. Il s'agit d'une tribulation inconnue.

c) Vers du poète comique Ménandre, dans *Thaïs*. Peut-être était-il devenu un dicton populaire.

d) Ou : « Comment les morts peuvent-ils ressusciter ? »

étoiles. Une étoile même diffère en éclat d'une étoile.
⁴² Ainsi en va-t-il de la résurrection des morts : ⁴³ on
sème dans la corruption, on ressuscite dans l'incorrup-
tion*ᵃ*; on sème dans l'ignominie, on ressuscite dans la
gloire; on sème dans la faiblesse, on ressuscite dans la
force; ⁴⁴ on sème un corps psychique*ᵇ*, on ressuscite
corps spirituel.

S'il y a un corps psychique, il y a aussi un corps spirituel. ⁴⁵ C'est ainsi qu'il est écrit : Le premier *homme,*   Gn **2** 7
Adam, *parut en âme vivante*ᶜ *;* le dernier Adam est un esprit
vivifiant. ⁴⁶ Mais ce n'est pas le spirituel qui paraît d'abord;
c'est le psychique, puis le spirituel. ⁴⁷ Le premier homme,
issu du sol, est terrestre; le second homme, lui, vient du
ciel. ⁴⁸ Tel a été le terrestre, tels seront aussi les terrestres;
tel le céleste, tels seront aussi les célestes. ⁴⁹ Et de même
que nous avons revêtu l'image du terrestre, il nous faut
revêtir aussi l'image du céleste.

⁵⁰ Je l'affirme, frères, la chair et le sang*ᵈ* ne peuvent
hériter du Royaume de Dieu, ni la corruption hériter de
l'incorruptibilité. ⁵¹ Oui, je vais vous dire un mystère :
nous ne mourrons pas tous*ᵉ*, mais tous nous serons transformés. ⁵² En un instant, en un clin d'œil, au son de la

---

15 51. *La leçon de Vulg :* « *nous mourrons tous, mais nous ne serons pas tous
changés* » *est à rejeter.*

---

a) Litt. « c'est semé dans la corruption, cela ressuscite dans l'incorrup-
tion, etc... ».
b) C'est-à-dire doté seulement de la vie physiologique, un corps soumis
aux lois du dépérissement et de la corruption. Le *corps spirituel,* lui, échappe
à ces lois.
c) L'argument n'a toute sa force qu'en grec, où « âme » se dit « psyché » :
d'où « psychique » (v. 46).
d) C'est-à-dire le corps humain, matériel, fragile et corruptible.
e) Voir 1 Th **4** 16-17 et aussi 2 Co **5** 1-4.

trompette finale[a], car elle sonnera, la trompette[b], et les morts ressusciteront incorruptibles, et nous[c], nous serons transformés. [53] Il faut en effet que cet être corruptible revête l'incorruptibilité, que cet être mortel revête l'immortalité.

Hymne triomphal et conclusion.

[54] Quand donc cet être corruptible aura revêtu l'incorruptibilité et que cet être mortel aura revêtu l'immor-

Is **25** 8 talité, alors s'accomplira la parole de l'Écriture[d] : *La mort* Os **13** 14 *a été engloutie dans la victoire.* [55] *Où est-elle, ô mort, ta victoire ? Où est-il, ô mort, ton aiguillon ?* [56] L'aiguillon de la mort, c'est le péché, et la force du péché, c'est la Loi[e]. [57] Mais grâces soient à Dieu, qui nous donne la victoire par notre Seigneur Jésus Christ[f] !

[58] Ainsi donc, mes frères bien-aimés, montrez-vous fermes, inébranlables, toujours en progrès dans l'œuvre du Seigneur, sachant que votre labeur n'est pas vain dans le Seigneur.

---

54. *Peut-être faut-il rejeter le début du v. :* « *Quand donc cet être corruptible aura revêtu l'incorruptibilité* ».

---

a) Et non : « au dernier coup de trompette » (Rabbi Aquiba en comptait sept; cf. Ap **8** 2, 6).

b) Cet instrument, liturgique et guerrier tout ensemble, figure dans les grandes manifestations de la puissance et de la justice divines; elle ne saurait donc manquer ce jour-là. Voir Mt **24** 31; 1 Th **4** 16.

c) C'est-à-dire ceux qui seront alors vivants. C'est par désir et par procédé oratoire que Paul se range parmi eux. Il désirerait bien être de ces privilégiés (2 Co **5** 4), mais il n'a aucune lumière spéciale sur la date de l'Avènement du Christ.

d) Citée librement.

e) Cf. Rm **3** 20; **4** 15; **5** 13, 20; **7** 8, 10, 13; Ga **3** 19.

f) Même mouvement que **7** 25.

CONCLUSION

16. ¹ Quant à la collecte

Recommandations.   en faveur des saints*ᵃ*, suivez,

Salutations.   vous aussi, les règles que

Souhait final.   j'ai tracées aux Églises de
Galatie. ² Que chaque premier jour de la semaine, chacun de vous mette de côté chez lui ce qu'il aura pu épargner, en sorte qu'on n'attende pas mon arrivée pour recueillir les dons. ³ Une fois chez vous, j'enverrai, munis de lettres, ceux que vous aurez jugé dignes, porter vos libéralités à Jérusalem; ⁴ et, s'il vaut la peine que j'y aille aussi, ils feront le voyage avec moi.

⁵ J'irai chez vous, après avoir traversé la Macédoine*ᵇ*; car je passerai par la Macédoine. ⁶ Peut-être séjournerai-je chez vous ou même y passerai-je l'hiver, afin que ce soit vous qui m'accompagniez vers l'endroit où j'irai. ⁷ Car je ne veux pas vous voir juste en passant*ᶜ*; j'espère bien demeurer quelque temps chez vous, si le Seigneur le permet. ⁸ Toutefois je resterai à Éphèse jusqu'à la Pentecôte*ᵈ*;

---

a) Sur cette *collecte en faveur des saints,* qui a tant occupé et préoccupé Paul, voir Ga **2** 10; 2 Co **8** et **9**; Rm **15** 26-28; Ac **24** 17. Il s'agit des chrétiens de Jérusalem qui, de très bonne heure, eurent besoin d'être secourus (Ga **2** 10; Ac **11** 29-30).

b) Province romaine qui s'étendait de l'Adriatique à la mer Égée, de Dyrracchium (Durazzo) au delà de Neapolis (Kavala). La capitale était Thessalonique (Salonique).

c) Autre traduction : « Je ne veux pas, cette fois-ci, ne vous voir qu'en passant ». Il faut alors supposer qu'entre le moment où il a quitté Corinthe et celui où il écrit notre épître Paul aurait fait à Corinthe une courte visite. Rien ne justifie pareille hypothèse.

d) Paul devait y rester bien plus longtemps.

⁹ car une porte y est ouverte toute grande*ᵃ* à mon activité, et les adversaires sont nombreux.

¹⁰ Si Timothée arrive *ᵇ*, veillez à ce qu'il soit sans crainte au milieu de vous; car il travaille comme moi à l'œuvre du Seigneur. ¹¹ Que nul donc ne lui marque du dédain*ᶜ*. Accompagnez-le en paix, pour qu'il vienne me rejoindre : je l'attends avec les frères*ᵈ*. ¹² Quant à notre frère Apollos, j'ai insisté vivement pour qu'il se rende chez vous avec les frères; mais il s'est refusé de façon formelle à le faire actuellement*ᵉ*; il ira quand il le jugera opportun.

¹³ Veillez, demeurez fermes dans la foi, soyez des hommes, soyez forts. ¹⁴ Que tout se passe chez vous dans la charité.

¹⁵ Encore une recommandation, frères. Vous savez que Stéphanas*ᶠ* et les siens sont les prémices de l'Achaïe, et qu'ils se sont rangés d'eux-mêmes au service des saints. ¹⁶ A votre tour, rangez-vous sous de tels hommes, et sous quiconque travaille et peine avec eux. ¹⁷ Je suis heureux de la visite de Stéphanas, de Fortunatus et d'Achaïcus*ᵍ*, qui ont suppléé à votre absence; ¹⁸ ils ont en effet tran-

---

16 12. « *j'ai insisté vivement* » *A B C ;* « *je vous avertis que j'ai insisté* » *S D G.*

---

a) Même image 2 Co **2** 12; Col **4** 3 pour désigner les facilités qui s'offrent au ministère de Paul. Cf. Ap **3** 8.

b) Voir **4** 17.

c) Sans doute en raison de sa jeunesse (1 Tm **4** 12) et de sa timidité (2 Tm **1** 7).

d) Expression ambiguë : ou bien Paul et les « frères » d'Éphèse attendent Timothée, ou bien Paul attend Timothée et les « frères » qui sont ses compagnons de voyage (Éraste est l'un d'eux, Ac **19** 22).

e) Apollos, collaborateur loyal de Paul, ne veut pas encourager par sa présence le parti qui s'est formé autour de son nom (**1** 12; **3** 5-6; **4** 6).

f) **1** 16.

g) Stéphanas, Fortunatus et Achaïcus étaient vraisemblablement venus à Éphèse porter à Paul la lettre de leur communauté (**7** 1). Stéphanas et les siens avaient été baptisés par Paul (1 Co **1** 16).

quillisé mon esprit et le vôtre. Sachez donc apprécier de tels hommes.

[19] Les Églises d'Asie[a] vous saluent. Aquilas et Prisca[b] vous saluent bien dans le Seigneur, ainsi que l'assemblée qui se réunit chez eux. [20] Tous les frères vous saluent. Saluez-vous les uns les autres par un saint baiser.

[21] La salutation est de ma main, à moi, Paul[c].

[22] Si quelqu'un n'aime pas le Seigneur, qu'il soit anathème !

« Maran atha[d]. »

[23] La grâce du Seigneur Jésus soit avec vous !

[24] Je vous aime tous dans le Christ Jésus.

------

a) C'est-à-dire de la province romaine d'Asie, qui comprenait le littoral de l'Asie mineure, quelques îles et les territoires de l'intérieur jusqu'à moins de 350 kilomètres de la côte. La capitale était Éphèse.

b) Sur ces amis de Paul, aux fréquents déplacements, voir Rm **16** 3; 2 Tm **4** 19; Ac **18** 2, 18, 26.

c) Les vv. 21-24 sont écrits de la main de Paul (Ga **6** 11-18; 2 Th **3** 17-18; Col **4** 18).

d) Mots araméens qui avaient passé dans la langue liturgique. Ils signifient : « Le Seigneur vient. » On peut lire aussi : *Marana tha,* et le sens est alors : « Notre Seigneur, viens ! » C'est à cette dernière forme que se rattache Ap **22** 20 : « Amen ! Viens, Seigneur Jésus ! » La première génération chrétienne vivait plus que nous dans l'attente du Retour glorieux du Christ.

DEUXIÈME ÉPITRE
AUX CORINTHIENS

INTRODUCTION

LE MILIEU HISTORIQUE

La Deuxième aux Corinthiens est célèbre pour ses obscurités. A chaque instant le lecteur est arrêté par des allusions, des sous-entendus, qui constituent de véritables énigmes. Les commentateurs n'y ont guère pris garde pendant longtemps. Préoccupés avant tout de rechercher les richesses théologiques de l'Épître, ils se souciaient assez peu des circonstances qui avaient poussé Paul à écrire. C'est la curiosité scientifique de l'exégèse moderne et contemporaine qui a mis au grand jour les problèmes et les difficultés demeurés en grande partie inaperçus des anciens. Il n'entre pas dans notre intention de fatiguer le lecteur en retraçant l'exposé de ces recherches. Nous entendons simplement mettre au clair les résultats qui nous paraissent acquis et, partant de là, reconstituer, d'une manière aussi cohérente que possible, l'histoire des événements qui ont donné naissance à l'épître. Comme nous ne disposons que des ressources de la critique interne, nous devrons bien souvent faire appel à la conjecture et à l'hypothèse; du moins, ce tableau d'ensemble, si imparfait et incertain qu'il soit, pourra-t-il fournir au lecteur un fil d'Ariane qui le guidera parmi les dédales du labyrinthe.

Trois questions d'abord sont à élucider : celle de la lettre écrite dans les larmes, celle de la visite douloureuse, celle de l'offenseur et de l'offensé.

**La lettre écrite
dans les larmes.**

Textes : **2** 3, 4, 9; **7** 8, 9, 12.
Notre épître parle à plusieurs
reprises d'une lettre que Paul
a écrite par suite d'une « grande
affliction et angoisse de cœur » et « parmi bien des larmes ».
Cette lettre, qu'il lui en a coûté beaucoup d'écrire, a fait beaucoup de peine aux Corinthiens. Il y était question d'un offenseur et d'un offensé, et Paul entendait mettre à l'épreuve
l'obéissance et la fidélité de la communauté. — Par ce seul
exposé, il est d'évidence qu'un pareil message où le sentiment
semble avoir tenu tant de place, pénible à écrire et douloureux
à lire, n'a aucun des caractères de la Première aux Corinthiens. Il s'agit donc d'une missive postérieure, provoquée
par des événements désagréables et qui se sont produits
depuis peu.

La visite douloureuse.

Textes : **1** 23-**2** 1; **12** 14;
13 1-2. Au moment où Paul
écrit la Deuxième aux Corin-
thiens, il se prépare à venir à Corinthe « pour la troisième fois ».
Il rappelle d'ailleurs à ses correspondants un des propos qu'il
leur a tenus lors de son second séjour parmi eux. Paul a donc
fait déjà, en plus du premier séjour, — celui de la fondation, qui
a duré plus de dix-huit mois, — une visite dont il est impossible
de déterminer la durée, mais qui vraisemblablement a été
courte. De cette visite Paul a gardé mauvais souvenir; il ne
voudrait pas en refaire une semblable. Il lui en coûterait trop
de retourner parmi ses enfants pour leur parler avec la même
sévérité, et leur causer de la peine une fois encore. Bref, cette
visite a été pénible, douloureuse pour celui qui l'a faite comme
pour ceux qui l'ont reçue. — On ne peut donc l'assimiler au
premier séjour, celui de la fondation, qui présente de tout
autres caractères. On ne peut non plus la placer entre le premier
départ de Paul et la Première aux Corinthiens; cette épître en
effet n'y fait pas la moindre allusion, Paul ne se référant qu'à
des bruits et rumeurs, à des informations verbales, à des
demandes qui lui ont été formulées par écrit. Il s'agit donc

d'une visite que Paul a faite à Corinthe entre la Première et la Deuxième aux Corinthiens.

L'offenseur et l'offensé. Textes : **2** 5, 6, 7, 8, 10; **7** 12. Un grave incident s'est produit à Corinthe, qui a mis aux prises un « offenseur » et un « offensé ». Cet incident, où toute la communauté semble avoir été impliquée, a atteint d'une certaine manière le prestige de Paul, qui aurait le droit d'y voir une offense personnelle. C'est lui qui est à l'origine de la « lettre écrite dans les larmes ». Il a certes été réglé par une décision que l'Église a prise à la majorité, mais l'apaisement complet ne s'est pas encore produit. — Pendant longtemps les commentateurs ont, d'une manière quasi unanime, rapproché cette affaire de celle de l'incestueux (1 Co 5 1-13). Mais, bien que traditionnelle, cette opinion ne peut se soutenir. L'affaire de l'incestueux devait être réglée depuis longtemps; la faute était si grave, que l'intervention de Paul devait rallier tous les suffrages. Et comment Paul aurait-il pu en parler dans les termes où il le fait (**2** 5; **7** 12) ? « Les procédés suivis pour l'infliction de la peine paraissent tout à fait distincts », et même « opposés » (Allo). D'un côté, Paul édicte souverainement la sentence en vertu de son autorité apostolique, « au nom du Seigneur Jésus et avec la puissance même du Seigneur Jésus » (1 Co 5 4); de l'autre, c'est la communauté qui règle l'affaire à la majorité des voix. Enfin, l'incestueux est « livré à Satan pour la perte de sa chair » (1 Co 5 5) et banni de la communauté (1 Co 5 13); l' « offenseur », lui, doit bénéficier de certains ménagements. Il est difficile de trouver deux délits aussi peu semblables. — Dans le cas de l' « offenseur », il s'agit donc vraisemblablement d'un membre de l'Église qui a bravé l'autorité d'un représentant de Paul qu'il est impossible de désigner, ou bien de l'un de ses meilleurs partisans de Corinthe.

Ces points une fois élucidés, essayons de reconstituer d'une manière hypothétique la suite des événements qui se sont déroulés à Corinthe entre la Première et la Deuxième aux Corinthiens.

1. Après la Première aux Corinthiens, tout semble être rentré dans le calme. On n'entend plus parler de partis, et Paul ne revient pas sur les problèmes qu'il avait tranchés. La communauté avait accepté les décisions et les remontrances de l'Apôtre et, bien que tout n'y fût pas pour le mieux, l'ordre, la bonne harmonie, la dignité étaient revenus.

2. Bientôt survinrent on ne sait d'où, et munis de lettres de recommandation d'on ne sait qui, des prédicateurs judaïsants (11 22), qui mirent à nouveau la communauté en effervescence. Ils se livrèrent à des attaques passionnées, violentes, contre la personne de Paul. La Deuxième aux Corinthiens est pleine d'allusions à ce réquisitoire contre le fondateur et père. Ce n'était pas, disait-on, un véritable apôtre; il n'avait pas vu le Christ; il n'osait pas d'ailleurs user du droit des authentiques prédicateurs de l'Évangile, autorisés par le Maître à vivre aux dépens des communautés. Cela ne l'empêchait pas de se montrer fier, plein de lui-même, arrogant, toujours occupé à faire son propre éloge et à vanter ses travaux au détriment de ceux d'autrui. Avec cela, léger, versatile, retors, fourbe, plein d'astuce, exploitant la communauté sans en avoir l'air par personnes interposées, manquant de mesure, exalté, visionnaire, un véritable dément. Si encore il avait eu les dehors d'un envoyé du Christ; mais il n'était qu'un homme minable, s'exprimant mal, arrogant à distance, sans force ni courage en face de ses contradicteurs, bref un « avorton ». Véritable flot d'insultes et de calomnies ! Paul était vilipendé, déchiré, piétiné par ce groupe d'opposants haineux et sans scrupules sur le choix des moyens.

3. Mis au courant de la situation, Paul fait à Corinthe une courte visite, la « visite douloureuse », qu'on appelle aussi parfois « visite intermédiaire ». Il essaie de remédier à la situation; mais soit fatigue, soit débonnaireté, soit manque de temps, il ne réussit pas à calmer complètement l'agitation. En partant, il promet de revenir pour un plus long séjour (1 15-16).

4. Après son départ, intrigues et menées se donnent libre carrière et aboutissent à un douloureux incident, où l'autorité de Paul est battue en brèche. Un adversaire de Paul, l' « offenseur », se laisse aller à une attitude inadmissible à l'égard d'un représentant ou d'un défenseur de l'Apôtre, l' « offensé » (2 5 ; 7 12).

5. Retenu à Éphèse par un événement grave qui met sa vie en péril (1 8-9), et meurtri par l'offense qui lui a été faite, Paul écrit aux Corinthiens la « lettre dans les larmes », pleine d'émotion et de sévérité ; il exige réparation de l'offense. En même temps, il charge Tite de se rendre sur les lieux, pour tout faire rentrer dans l'ordre.

6. Après l'émeute des orfèvres (Ac 19 23-40), Paul quitte Éphèse (Ac 20 1) et gagne Troas, où il a donné rendez-vous à Tite. Ne l'y trouvant pas (2 12-13), et impatient d'avoir des nouvelles de Corinthe, il passe en Macédoine, où Tite enfin le rejoint, porteur d'excellentes nouvelles (7 5-7).

7. Le parti favorable à Paul l'a en effet emporté ; la communauté s'est ressaisie (7 7-11), l' « offenseur » a été sévèrement châtié (2 6).

8. Paul alors renvoie Tite à Corinthe, pour y poursuivre l'organisation de la collecte en faveur des frères de Jérusalem (8 16-24).

9. Enfin Paul, avant de partir lui-même pour Corinthe, et pour sceller la réconciliation, écrit de Macédoine, — probablement de Philippes, comme l'indiquent certaines subscriptions de manuscrits, — en l'an 57, la Deuxième Épître aux Corinthiens.

PLAN DE L'ÉPITRE

La Deuxième aux Corinthiens a un caractère personnel très marqué. On dirait d'une dernière explication entre amis qui, après une brouille passagère, viennent de se réconcilier. C'est un long retour sur le passé, tantôt tendre et tantôt vibrant, accompagné de méditations sur la grandeur du ministère apostolique et interrompu par des instructions sur la collecte en faveur des frères de Jérusalem. Voici le plan détaillé :

PRÉAMBULE (**1** 1-11).

Adresse et salutation. Action de grâces.

I. PARTIE APOLOGÉTIQUE (**1** 12-**7** 16). Liquidation des incidents passés.

    1. *Pourquoi Paul a modifié son plan de voyage* (**1** 12-**2** 11).

    2. *De Troas en Macédoine : longue digression sur le ministère apostolique* (**2** 12-**7** 4).

        A. Grandeur du ministère apostolique (**2** 12-**4** 6).

        B. Ses tribulations et ses espérances (**4** 7-**5** 10).

        C. Son exercice (**5** 11-**6** 10).

        D. Épanchements et avertissements (**6** 11-**7** 4).

    3. *Paul en Macédoine, où Tite l'a rejoint* (**7** 5-16).

II. PARTIE PRATIQUE (**8** 1-**9** 15). Organisation de la collecte.

    1. *Motifs de se montrer généreux* (**8** 1-15).

    2. *Paul recommande les délégués* (**8** 16-**9** 5).

    3. *Bienfaits qui résulteront de la collecte* (**9** 6-15).

III. PARTIE POLÉMIQUE (**10** 1-**13** 10). Paul se défend contre ses diffamateurs.

    1. *Paul répond à l'accusation de faiblesse* (**10** 1-11).

2. *Paul répond à l'accusation d'ambition* (**10** 12-18).

3. *Paul se voit contraint de faire son propre éloge* (**11** 1-**12** 18).

4. *Paul exprime ses appréhensions et ses inquiétudes* (**12** 19-**13** 10).

CONCLUSION (**13** 11-13). Recommandations. Salutations. Souhait final.

UNITÉ DE L'ÉPITRE

Nous avons déjà dit que la plupart des exégètes admettent l'*authenticité* de la Deuxième aux Corinthiens. Certains n'excluent pas la possibilité de petites interpolations (en particulier **11** 32-33 et **12** 11^b-12). Mais les motifs qu'ils mettent en avant paraissent de peu de poids. Nous ne nous y arrêterons pas.

Bien plus délicate est la question de l'*unité* de notre épître. La Deuxième aux Corinthiens est-elle sortie telle quelle de la plume de Paul, ou bien est-elle le résultat de la fusion de deux ou de plusieurs lettres de l'Apôtre ? La réponse traditionnelle est nette : Paul a écrit la Deuxième aux Corinthiens telle que nous la possédons; et la preuve en est qu'on ne trouve nulle part, ni dans la tradition textuelle, ni dans les versions, ni dans les citations des Pères, la moindre trace de remaniement. Cet argument possède une grande valeur et ne doit pas être traité à la légère. On ne saurait accuser de manque de sens critique l'exégète qui préfère la solidité de la tradition à l'incertitude d'hypothèses reposant exclusivement sur les données de la critique interne. Mais nous sommes là sur le terrain de la libre discussion, et il faut reconnaître que certains passages de notre épître présentent, du point de vue qui nous occupe, de sérieuses difficultés. Trois méritent une particulière attention : **6** 14-**7** 1; **8** et **9**; **10-13**.

1. **6** 14-**7** 1. Ce passage semble rompre le développement de la pensée, en introduisant d'une manière brusque une idée nouvelle et inattendue. D'autre part **7** 2 constitue une suite excellente à **6** 13. On a l'impression de se trouver en présence d'un « bloc erratique ». Cette péricope dépaysée ne serait-elle pas un fragment de la lettre « précanonique », à laquelle Paul fait allusion 1 Co **5** 9-13 ?

L'hypothèse, pour ingénieuse qu'elle soit, ne résiste pas à un examen attentif. Le passage n'est pas tellement étranger au contexte qu'il y paraît tout d'abord. Paul ne traite pas d'unions mixtes; il supplie les Corinthiens de ne pas se laisser pénétrer par des infiltrations païennes, qui pervertiraient leur âme, la détacheraient du véritable esprit du Christ et ruineraient ainsi leur amitié avec leur père spirituel. L'idée, certes, est introduite brusquement et Paul la développe d'une manière oratoire; mais rien de plus conforme à ses habitudes et à son génie. — D'ailleurs l'hypothèse de l'insertion d'un fragment étranger crée plus de difficultés qu'elle n'en résout; comment le compilateur aurait-il été assez maladroit pour loger ces quelques lignes en une si mauvaise place ? Il y en avait tant de bonnes dans la Première aux Corinthiens. L'opinion qui dissocie **6** 14-**7** 1 de la Deuxième aux Corinthiens primitive nous paraît donc à écarter.

2. **8-9.** Nous n'en dirons pas autant de celle qui considère ces deux chapitres sur la collecte comme n'ayant pas appartenu primitivement à la même lettre. Bien que soutenue par une minorité de critiques, elle nous paraît devoir être prise en considération pour les raisons suivantes : *a*) **9** 1, Paul semble traiter du « service en faveur des saints », comme s'il n'en avait pas été question dans tout un chapitre : « il est superflu de vous en écrire ». *b*) Les points de vue ne sont pas les mêmes : **8** 1-5, Paul excite la bonne volonté des Corinthiens en leur dépeignant l'ardeur des communautés de Macédoine; **9** 1-6, Paul déclare vanter aux Macédoniens l'empressement des communautés d'Achaïe. *c*) Les motifs de se montrer généreux sont traités deux fois et développés de manière sensiblement différente : **8** 7-15 et **9** 6-14.

Il nous paraît difficile que Paul ait écrit dans la même lettre et pour la même Église deux passages présentant sur le même sujet tant de divergences au milieu de quelques redites. L'hypothèse d'une interruption de dictée, vraisemblable en elle-même, ne nous semble pas fournir une explication suffisante. A la suite de Semler et d'autres critiques, nous sommes porté à voir dans le chapitre **9** un billet ou fragment de billet destiné aux Églises d'Achaïe autres que Corinthe. Lors de la constitution du *Corpus paulinum,* il aura trouvé tout naturellement sa place après le passage de la Deuxième aux Corinthiens où il était question de la collecte.

3. **10-13**. Ces quatre chapitres posent le plus délicat des problèmes. Depuis longtemps, le brusque changement de ton qui marque le début du chapitre **10** et surtout l'attitude toute nouvelle de Paul qui, de la douceur et de la tendresse, passe à la menace et se répand en un torrent de violences, ont fait une telle impression sur les critiques que beaucoup se refusent à voir dans ces chapitres la suite des chapitres qui précèdent; ici, pour eux, commence une autre lettre. Presque tous les exégètes catholiques tiennent pour la solution traditionnelle de l'unité; le changement de ton, disent-ils, n'a pas de quoi tellement surprendre : il est dans la manière de Paul, si vif, si heurté, si imprévisible dans ses réactions. D'ailleurs bien des passages des chapitres précédents laissent entendre qu'il y a encore de l'orage dans l'air; c'est maintenant le dernier coup de tonnerre. Le P. Allo, excellent analyste et d'une scrupuleuse honnêteté, note qu' « il y a de **3** à **10-13** progression d'une apologie sûrement dirigée toujours contre les mêmes adversaires, et dont le ton monte à mesure qu'on avance dans les premiers chapitres ». Et encore : « Paul a entrepris de rétablir une entente parfaite entre lui-même et l'Église de Corinthe, qui lui est très chère, et qui a un grand rôle à tenir dans ses projets futurs. A cet effet, il lui écrit pour effacer d'abord les dernières traces de dissentiments et de malentendus qui avaient mis de la gêne dans leurs rapports récents, et regagner ainsi au moins toute la confiance des auto-

rités et de la masse : c'est l'objet des chapitres **1** à **7**. S'étant ainsi créé un terrain favorable, il leur fera réparer leur négligence dans l'entreprise si importante de la collecte, et les décidera à réagir d'eux-mêmes contre les influences dissolvantes, celles des mauvais instructeurs et celles des libertins, qui compromettent leur vie chrétienne et ont jeté du froid dans les rapports de l'Église avec son fondateur. »

Ces remarques ne sont pas sans valeur. N'empêche que la différence d'attitude de Paul ne paraît pas suffisamment expliquée. Certaines expressions contenues dans les quatre derniers chapitres semblent en opposition directe avec plusieurs passages des premiers. Comment en particulier concilier : **1** 24 avec **13** 5; **7** 4, 14-16 et **8** 7 avec **11** 3-4, 20-21 et **13** 2-10 ? Paul reviendrait donc sur tout ce qu'il a dit. On comprend l'ordre inverse : sévérité et reproches d'abord, puis conciliation et douceur. Mais commencer par la confidence et la tendresse pour finir par l'invective et la menace serait d'une maladresse insigne.

Hypothèse de Hausrath (1870). — Selon cette hypothèse, qui a joui longtemps d'une grande vogue, l'explication est simple. Les chapitres **10-13** appartiennent à la « lettre écrite dans les larmes », dont il est, à plusieurs reprises, question dans la Deuxième aux Corinthiens. Ils seraient donc antérieurs aux neuf premiers chapitres et répondraient à l'état d'âme de Paul lors du paroxysme de la crise corinthienne. L'hypothèse est de prime abord séduisante, mais elle se heurte à deux grosses difficultés, qui la rendent inacceptable : 1) **10-13** ne présentent guère le caractère d'une lettre « écrite dans les larmes »; le ton est celui de la colère, de l'indignation, non de la tendresse blessée. 2) Surtout, pas la moindre allusion dans ces chapitres à la question de l' « offenseur » et de l' « offensé », qui semble avoir formé le thème principal de la lettre sévère. Prétendre que cette question était traitée précisément dans la partie de cette lettre qui n'a pas été conservée — la première — est un plaisant subterfuge : *obscurum per obscurius*. Le plus vraisemblable est que Paul et la communauté ont été pleinement d'accord pour faire disparaître cette lettre, qui avait fait couler autant de larmes à ceux qui l'avaient lue qu'à celui qui l'avait écrite.

Hypothèse de Krenkel (1890) - *Windisch.* — Il reste donc que **10-13** appartiennent à une lettre postérieure; c'est l'opinion émise par Krenkel, et soutenue par un assez grand nombre d'auteurs, dont l'un des derniers en date est Windisch. Pour amener un pareil changement de ton et d'attitude, une interruption dans la dictée, fût-elle de quelques jours, ne suffit pas. Il faut que des événements nouveaux se soient produits. L'hypothèse la plus simple est que Tite, envoyé par Paul pour achever d'organiser la collecte (2 Co 8 6, 16-17), se soit heurté dans sa tâche à de graves difficultés. Les adversaires de Paul, un moment mis à l'écart par la communauté, ont repris leurs attaques contre l'Apôtre et ont recommencé contre lui leur campagne de dénigrement systématique. La nouvelle en est parvenue à Paul, peut-être par les soins de Tite. Paul alors, indigné de l'audace et de l'acharnement de ses ennemis comme de la lâcheté de la communauté qui les laisse poursuivre leur œuvre de destruction, écrit *ab irato* les pages vengeresses de **10-13**.

Telle est la solution qui, dans l'état présent de la recherche, nous paraît la moins mauvaise. Sa faiblesse est de n'avoir aucun appui dans la tradition textuelle, son avantage est de mieux expliquer l'allure et le ton des quatre derniers chapitres de l'épître.

INTÉRÊT DE LA DEUXIÈME AUX CORINTHIENS

Par tout ce qui vient d'être dit, le lecteur sait que notre épître n'est pas un écrit doctrinal. Paul ne s'y propose pas de développer tel ou tel point de l'enseignement chrétien; il entend simplement dire aux Corinthiens ce qu'il a sur le cœur. Mais la pensée de l'Apôtre est si pleine du Christ qu'à chaque instant, à propos des menus faits de son ministère et des mille riens de la vie quotidienne, les plus hautes vérités surgissent en de radieuses échappées : Trinité, rôle du Saint Esprit, divinité de Jésus et son incarnation dans le dénuement, son rôle unique dans l'histoire du monde et dans la vie des âmes, l'Église fiancée du Christ, la communion des saints et la catholicité, le Jugement... Paul a de belles pages sur les magnificences de l'Alliance nouvelle, ainsi que sur les grandeurs et les tribulations du ministère apostolique. Il a quelques lignes admirables sur la divinisation progressive de l'âme chrétienne par la contemplation...

La Deuxième aux Corinthiens nous donne encore de précieuses informations sur l'histoire des temps apostoliques et complète ainsi les Actes des Apôtres en suppléant à leurs silences. Sans elle, nous ignorerions tout de l'ensemble des événements connus sous le nom de crise corinthienne. C'est elle qui nous renseigne sur l'organisation de la collecte au profit des frères de Jérusalem et sur les motifs profonds qui la rendaient si chère au cœur de Paul. C'est à elle que nous devons de connaître l'évangélisation de Troas, les projets que formait l'Apôtre en vue d'étendre le champ de son apostolat, l'existence des communautés d'Achaïe, les missions dont fut chargé Tite... Par elle encore, nous apprenons l'écrasant labeur de Paul, ses fatigues, ses dangers, ses périls de mort, le mal chronique dont il demande vainement au Seigneur d'être délivré, l'état de tension intérieure qui ravageait sa vie, son amour passionné pour le Christ et l'Église, les visions extraordinaires dont il fut gratifié...

Ainsi son âme s'ouvre toute grande devant nous; sa personsalité apparaît dans la splendeur de ses contrastes. Il est à la fois mystique et homme d'action, théologien et missionnaire, fondateur et organisateur, « défricheur » et pasteur, directeur d'âmes, controversiste, orateur : complexe extraordinaire où se mêlent tant de dons qui la plupart du temps s'excluent. Les mêmes contrastes s'observent dans son caractère. Il est tout ensemble fier et humble; audacieux et timide; indépendant et effrayé de la solitude, affectueux et sarcastique, courtois et dur; il a la délicatesse des cœurs purs et parfois ses propos blessent notre goût; il est généreux et amer, prudent et emporté.

Une sensibilité toujours en émoi est le trait dominant de sa physionomie morale. Il est peu d'âmes qui aient reçu au même degré que la sienne le privilège d'aimer. Il s'est livré sans réserve avec un absolu désintéressement. Pour parler de l'affection jalouse qu'il porte à ses amis et à ses « enfants », il a trouvé les termes les plus doux, les expressions les plus audacieuses et les plus touchantes. Les cœurs chastes ont des tendresses qui ne trouvent leur parfaite expression que dans le langage de l'amour : c'est celui de Paul. Jamais homme n'avait encore parlé à ses semblables avec tant de passion. Aussi ses cris de tendresse, ses protestations de dévouement, l'expression bouleversée de ses alarmes, ont-ils traversé les siècles. C'est du cœur de Paul qu'ont jailli ces admirables formules où vient encore se réchauffer l'ardeur des apôtres et s'attendrir le cœur de ceux qui ont reçu le privilège des paternités spirituelles.

Celui qui aime ne saurait admettre qu'on lui dérobe l'objet de son amour : il en est jaloux. Paul, rencontrant sur son chemin des voleurs d'âmes, a défendu son trésor. Il a attaqué ses rivaux, qui étaient aussi ses détracteurs, avec une fougue qui nous déconcerte; il les a fustigés, accablés de ses sarcasmes. Certes, il se peut que Paul ait parfois exagéré et se soit montré injuste. Dans l'ardeur de la bataille, dans l'angoisse sacrée qui saisit le père menacé de se voir arracher ses enfants et de les voir ainsi perdus pour le Christ, parmi les fatigues, les privations, les misères d'une vie héroïque, Paul n'avait guère le loisir ni le goût de peser ses mots. Nous ne l'en aimons que davantage. S'il n'avait ressenti que des colères académiques, il est vraisemblable que les intérêts spirituels dont il avait la charge auraient été moins bien défendus. Et ces intérêts sont les nôtres.

Le style de la Deuxième aux Corinthiens n'a pas la limpidité des grandes pages de la Première. Il est le reflet d'une âme en effervescence. Certes, les maximes bien frappées n'y manquent pas, non plus que les raisonnements fermes et bien conduits. Mais elle est écrite en état d'émoi. Paul est encore bouleversé par le souvenir des événements qui ont failli lui arracher ses enfants. Ses phrases sont chargées d'une sensibilité qui souvent l'oppresse et qui fait tort à la clarté de l'expression. Le grand nombre d'allusions et de sous-entendus ajoute encore à l'obscurité. On n'avance que laborieusement, maintes fois désappointé de n'avoir compris qu'à demi. Mais à qui ne se laisse pas rebuter, la lecture de notre épître procure d'immenses joies. Il n'en est pas de plus personnelle, de plus révélatrice, de plus pathétique. Paul s'y livre à nous sans réserve et sans feinte. Aucune « confession » ne fut plus sincère, aucune n'est plus émouvante. Ces pages sont uniques dans l'histoire de la littérature. Jamais l'éloquence ne s'est moquée de l'éloquence avec tant de prestige. On peut le dire en toute assurance : si l'éloquence n'est que le jaillissement enflammé des sentiments qui étreignent un grand cœur, l'homme qui a écrit les chapitres 11 et 12 de la Deuxième aux Corinthiens n'a jamais été et ne sera sans doute jamais égalé.

DEUXIÈME ÉPITRE
AUX CORINTHIENS

PRÉAMBULE

Adresse et salutation.
Action de grâces.

1. ¹ Paul, apôtre du Christ Jésus par la volonté de Dieu, et Timothée*ᵃ*, le frère, à l'Église de Dieu établie à Corinthe, ainsi qu'à tous les saints qui sont dans l'Achaïe*ᵇ* entière; ² à vous grâce et paix de par Dieu, notre Père, et le Seigneur Jésus Christ !

³ Béni soit le Dieu et Père de notre Seigneur Jésus Christ, le Père des miséricordes*ᶜ* et le Dieu de toute consolation, ⁴ qui nous console dans toutes nos afflictions, afin que, par la consolation que nous-mêmes recevons de Dieu, nous puissions consoler les autres en quelque affliction que ce soit. ⁵ De même en effet que les souffrances

---

a) Timothée se trouvait avec Paul lors de la fondation de l'Église de Corinthe (Ac **18** 5).

b) L'Achaïe était une province romaine dont les limites étaient à peu près celles de la Grèce contemporaine. — Il y avait dans cette province un certain nombre de communautés. Paul tient à leur faire savoir l'heureuse issue des incidents de Corinthe, et il entend les associer à la « collecte en faveur des saints ».

c) Cette expression, inspirée de l'A. T., se rencontre dans les manuscrits de Qumrân (*Hymne* **10** 14).

du Christ*a* abondent pour nous, de même, par le Christ, abonde aussi notre consolation. ⁶ Sommes-nous affligés ? c'est pour votre consolation et salut. Sommes-nous consolés ? c'est pour votre consolation, qui vous donne de supporter avec constance les mêmes souffrances que nous endurons, nous aussi. ⁷ Et notre espoir à votre égard est ferme : nous savons que, partageant nos souffrances, vous partagerez aussi notre consolation.

⁸ Car nous ne voulons pas, frères, vous le laisser ignorer : la tribulation qui nous est survenue en Asie*b* nous*c* a accablés à l'extrême, au delà de nos forces, à tel point que nous désespérions même de conserver la vie. ⁹ Vraiment, nous avons porté en nous-mêmes notre arrêt de mort, afin d'apprendre à ne pas mettre notre confiance en nous-mêmes mais en Dieu, qui ressuscite les morts*d*. ¹⁰ C'est lui qui nous a tirés d'une telle mort et nous en tirera encore; oui, nous avons en lui cette espérance qu'il nous en tirera

---

1 6. *Tradition confuse. A côté de la leçon adoptée (S A C P⁴⁶), on trouve (B D E F L It)* : « *Sommes-nous affligés ? c'est pour votre consolation et salut, qui vous donne de supporter avec constance les mêmes souffrances que nous endurons nous aussi. Et notre espoir à votre égard est ferme. Sommes-nous consolés ? c'est pour votre consolation et salut.* »

9. « *qui ressuscite les morts* » *masse des onciaux* ; « *qui a ressuscité* » P⁴⁶ *quelques minuscules.*

10. « *qui nous a tirés d'une telle mort et nous en tirera* » *A S B P⁴⁶*; « *qui de tels périls de mort* (P⁴⁶ *quelques minuscules Lat Syr) nous a tirés et nous tirera* » *G grand nombre de minuscules Vulg.*

---

a) « Les chrétiens ont à supporter (leurs souffrances) à l'imitation du Christ, à cause du Christ, et dans le Christ, qui souffre pour ainsi dire en eux, ou leur communique ses souffrances, leur en fait don, pour se les assimiler corps et âme » (Allo).

b) Sur l'Asie, voir 1 Co **16** 19. Nous ne savons de quelle épreuve il est question. Ce n'est certainement pas l'émeute des orfèvres (Ac **19** 23-40), où la vie de Paul n'a pas été menacée.

c) Est-ce un pluriel oratoire, épistolaire, ou un vrai pluriel ?

d) Voir Sg **16** 13 et la note.

encore. [11] Vous-mêmes nous aiderez par la prière, afin que ce bienfait, qu'un grand nombre de personnes nous auront obtenu, soit pour un grand nombre un motif d'action de grâces à notre sujet[a].

I

RETOUR SUR LES INCIDENTS PASSÉS

**Pourquoi
Paul a modifié
son plan de voyage.**

[12] Ce qui fait notre fierté, c'est ce témoignage de notre conscience que nous nous sommes conduits dans le monde, et plus particulièrement à votre égard, avec la sainteté et la sincérité qui viennent de Dieu, non pas avec une sagesse charnelle[b], mais avec la grâce de Dieu. [13] En effet, il n'y a rien dans nos lettres que ce que vous y lisez et comprenez[c]. Et j'espère que vous comprendrez pleinement, — [14] ainsi que vous nous avez compris en partie, — que vous pourrez être fiers de nous, comme nous de vous, au Jour[d] de notre Seigneur Jésus.

---

12. « *avec la sainteté* » *A S B* P[46] ; « *avec la simplicité* » *D G nombre de minuscules Lat Syr.*

---

a) L'*action de grâces* tient une grande place dans les préoccupations spirituelles de Paul. Voir dans cette même lettre **4** 15 ; **9** 11-12, et Col **3** 15.

b) C'est-à-dire inspirée par des motifs purement humains.

c) Les adversaires de Paul l'accusaient sans doute d'employer des termes ambigus (cf. 1 Co **5** 9-10).

d) Voir 1 Co **1** 8.

¹⁵ C'est dans cette assurance que je voulais aller chez vous tout d'abord pour vous procurer une seconde grâce[a]; ¹⁶ puis de chez vous passer en Macédoine et de Macédoine revenir chez vous; et vous m'auriez mis sur le chemin de la Judée[b]. ¹⁷ En formant ce projet, aurais-je donc fait preuve de légèreté ? Ou bien mes projets s'inspirent-ils de la chair[c], en sorte qu'il y ait en moi le oui, oui, et le non, non[d] ? ¹⁸ Aussi vrai que Dieu est fidèle[e], notre langage avec vous n'est pas oui et non. ¹⁹ Car le Fils de Dieu, le Christ Jésus, que nous avons annoncé parmi vous, Silvain, Timothée[f] et moi, n'a pas été oui et non; c'est le oui qui se trouve en lui. ²⁰ Toutes les promesses de Dieu ont en effet leur oui en lui[g]; aussi bien est-ce par lui que nous disons notre « Amen[h] » à la gloire de Dieu. ²¹ Et Celui qui nous affermit avec vous dans le Christ et qui nous a donné l'onction[i], c'est Dieu, ²² Lui qui nous

---

15. « *une seconde grâce* » *A C D E F G Lat ;* « *une seconde joie* » *B L P.*

19. « *le Christ Jésus* » *A S C ;* « *Jésus Christ* » *B D G* P⁴⁶.

---

a) La visite de Paul sera une grâce ou faveur de la part de Paul et une source de grâces de la part de Dieu.

b) Ce n'est pas l'itinéraire indiqué 1 Co **16** 5-6. Paul avait communiqué son projet nouveau soit par un message, soit personnellement lors de la « visite intermédiaire ».

c) Voir **1** 12.

d) Paul, disaient ses adversaires, annonce sans cesse de nouveaux projets et n'en exécute aucun.

e) Formule de serment. Sur « Dieu fidèle », voir 1 Co **1** 9.

f) Silvain et Timothée avaient été les deux collaborateurs de Paul dans la fondation de l'église de Corinthe. Voir Ac **18** 5. Silvain, dans les Actes, a nom Silas.

g) Cf. Rm **15** 8.

h) Allusion à l'*Amen* liturgique, passé de la Synagogue dans l'Église (1 Co **14** 16).

i) Ce mot désigne probablement le Baptême qui *sacre* le chrétien enfant de Dieu et membre du Royaume messianique.

a aussi marqués de son sceau[a] et a mis dans nos cœurs les arrhes de l'Esprit[b].

²³ Pour moi, j'en prends Dieu à témoin sur mon âme; c'est par ménagement pour vous que je ne suis plus revenu à Corinthe. ²⁴ Ce n'est pas que nous entendions régenter votre foi[c]. Non, nous contribuons à votre joie; car, pour la foi, vous tenez bon.

2. ¹ Je décidai donc en moi-même de ne pas revenir chez vous dans la peine[d]. ² Car, si c'est moi qui vous fais de la peine, qui peut alors me donner de la joie sinon celui à qui j'ai fait de la peine ? ³ Et si j'ai écrit ce que vous savez[e], c'était pour ne pas éprouver de peine, en venant, du fait de ceux qui devraient me donner de la joie, bien convaincu à l'égard de vous tous que ma joie est aussi la vôtre, à vous tous. ⁴ Oui, c'est dans une grande affliction et angoisse de cœur que je vous ai écrit, parmi bien des larmes[f], non pas pour vous faire de la peine, mais pour que vous sachiez l'extrême affection que je vous porte.

⁵ Que si quelqu'un a fait de la peine, ce n'est pas à moi qu'il en fait; c'est, dans une certaine mesure (n'exagérons rien), à vous tous. ⁶ C'est assez pour cet homme[g] du châtiment infligé par la majorité, ⁷ en sorte qu'il vaut mieux au contraire lui pardonner et l'encourager, de peur que

---

a) Dieu marque le chrétien de son sceau, comme lui appartenant. Ce terme indique probablement l'ensemble des rites de l'initiation chrétienne (cf. Ep **1** 13; **4** 30).

b) En nous donnant l'Esprit, Dieu s'engage à nous donner la gloire céleste, dont l'Esprit nous procure un avant-goût (2 Co **5** 5; Ep **1** 13-14). Ailleurs (Rm **8** 23), Paul parle de « prémices ».

c) Allusion probable à un reproche adressé à Paul par ses adversaires.

d) Allusion au caractère douloureux de la « visite intermédiaire ». Voir l'Introduction, pp. 76-77.

e) Allusion à la lettre sévère (**2** 3, 4, 9; **7** 8, 12). Voir l'Introduction, p. 76.

f) Cf. Ac **20** 19, 31; Ph **3** 18.

g) Il s'agit de « l'offenseur ». Voir l'Introduction, p. 77.

ce malheureux ne vienne à sombrer dans une peine exces-
sive. ⁸ Je vous engage donc à faire prévaloir envers lui la
charité. ⁹ Aussi bien, en écrivant*ᵃ*, je ne me proposais
que de vous mettre à l'épreuve et de voir si votre obéissance est entière. ¹⁰ Mais à qui vous pardonnez, je par-
donne aussi; car, si j'ai pardonné, — pour autant que j'ai
eu à pardonner, — c'est par amour pour vous, en présence du Christ. ¹¹ Il ne s'agit pas d'être dupes de Satan;
nous n'ignorons pas ses desseins.

¹² J'arrivai donc à Troas*ᵇ*

De Troas en Macédoine.   pour y prêcher l'Évangile
Digression :   du Christ, et bien qu'une
le ministère apostolique.   porte me fût ouverte*ᶜ* dans
le Seigneur, ¹³ mon esprit
n'eut point d'apaisement, parce que je ne trouvai pas
Tite*ᵈ*, mon frère. Je pris donc congé d'eux et partis pour
la Macédoine.

¹⁴ Grâces soient à Dieu qui, dans le Christ, nous
emmène partout en triomphe*ᵉ* et qui, par nous, répand en
tous lieux le parfum de sa connaissance. ¹⁵ Car nous som-

---

a) La lettre sévère.

b) Port de mer sur la côte septentrionale de l'Asie mineure, à une dizaine
de milles au sud de l'emplacement de l'antique Troie.

c) Voir 1 Co **16** 9 et la note.

d) Chrétien d'origine païenne, peut-être converti par Paul (Tt **1** 4),
qu'il accompagne lors de son second voyage à Jérusalem (Ga **2** 1). Chargé
par Paul d'aller régler sur place les incidents de Corinthe, il réussit pleinement dans cette délicate mission (2 Co **7** 5-7). Paul le renvoie bientôt à
Corinthe pour y poursuivre l'organisation de la collecte. Il disparaît alors
de la scène. Nous le retrouvons plus tard en Crète (63-64), à la tête des
communautés qu'y a fondées Paul au sortir de sa première captivité
romaine. C'est là que l'Apôtre lui écrit, l'invitant à le rejoindre à Nicopolis,
en Épire (Tt **3** 12). Lors de la deuxième captivité romaine de Paul (66-67),
il est en Dalmatie (2 Tm **4** 10). Tite semble avoir été pour Paul un excellent collaborateur, habile et de caractère ferme et bien trempé.

e) Tel un général en chef victorieux qui fait son entrée solennelle à
Rome au milieu des acclamations, Dieu parcourt le monde en triompha-
teur, et les apôtres font partie de son cortège. Cf. Col **2** 15.

mes bien, pour Dieu, la bonne odeur du Christ parmi ceux qui se sauvent et parmi ceux qui se perdent ; [16] pour les uns, une odeur qui de la mort conduit à la mort[a] ; pour les autres, une odeur qui de la vie conduit à la vie. Et qui donc est à la hauteur d'une telle tâche ? [17] Nous ne sommes pas, en effet, comme la plupart[b], qui frelatent la parole de Dieu ; non, c'est en hommes sincères, c'est en envoyés de Dieu que, devant Dieu, nous parlons dans le Christ.

3. [1] Recommençons-nous à nous faire valoir nous-mêmes[c] ? Ou bien aurions-nous besoin, comme certains, de vous présenter des lettres de recommandation ou de vous en demander ? [2] Notre lettre, c'est vous, une lettre écrite en nos cœurs, connue et lue par tous les hommes. [3] Oui, vous êtes manifestement une lettre du Christ rédigée par nos soins, écrite non pas avec de l'encre, mais avec l'Esprit du Dieu vivant, non sur des tables de pierre, mais sur des tables de chair[d], sur vos cœurs.

[4] Telle est l'assurance que nous avons devant Dieu par le Christ. [5] Ce n'est pas que de nous-mêmes nous ayons qualité pour revendiquer quoi que ce soit comme venant de nous[e] ; non, c'est Dieu qui nous a donné qualité,

---

2 17. « *la plupart* » *A S B ; «* tant d'autres *» D G P*[46].
3 2. « *en nos cœurs* » *la masse des onciaux ; «* en vos cœurs *» S* 33 *quelques minuscules.*

---

a) « Les âmes qui étaient déjà mortes tombent, par leur refus volontaire du salut, à des états de conscience de plus en plus mortels, se précipitant vers l'éternelle mort » (Allo). Cf. Mt **13** 11-15 ; Lc **2** 34 ; Jn **3** 19-21 ; **9** 39 ; **12** 48 ; Mc **4** 12, etc.

b) On voudrait espérer que c'est une hyperbole oratoire. De même Ph **2** 21.

c) Allusion à un reproche de ses adversaires. Cf. **5** 12.

d) Influence littéraire d'Ézéchiel, **11** 19 ; **36** 26.

e) Ce qui est vrai des apôtres (Mc **3** 13 ; Jn **15** 16) l'est aussi de tous les chrétiens (Jn **15** 5 ; 1 Co **4** 7 ; Ph **2** 13).

[6] qui nous a qualifiés pour être ministres d'une nouvelle alliance[a], non de la lettre, mais de l'Esprit[b]; car la lettre tue, l'Esprit vivifie[c]. [7] Or, si le ministère de la mort[d], gravé en lettres[e] sur des pierres, a été entouré d'une telle gloire que les enfants d'Israël ne pouvaient regarder fixement le visage de Moïse[f] en raison de la gloire, pourtant passagère, de ce visage, [8] comment le ministère de l'Esprit n'en connaîtrait-il pas davantage ? [9] Si en effet le ministère de la condamnation fut glorieux, combien le ministère de la justice ne l'emporte-t-il pas en gloire ? [10] Non, si de ce point de vue on la compare à cette gloire suréminente, la gloire de ce premier ministère n'en fut pas une. [11] Car, si ce qui était passager s'est manifesté dans la gloire, combien plus ce qui demeure ne sera-t-il pas glorieux ?

[12] En possession d'un pareil espoir, nous nous comportons avec beaucoup d'assurance, [13] et non comme Moïse[g], qui se mettait un voile sur le visage pour empêcher les enfants d'Israël de voir la fin de ce qui était passager[h]... [14] Mais leur entendement s'est obscurci. Jusqu'à ce jour en effet, lorsqu'on lit l'Ancien Testament, ce même voile demeure. Il n'est point levé; car c'est le Christ qui le

---

a) La pensée et l'expression « une alliance nouvelle » apparaissent pour la première fois Jr **31** 31. On la trouve dans le N. T., Lc **22** 20 et 1 Co **11** 25 (« la nouvelle alliance »); He **8** 8 (citation de Jr : « une alliance nouvelle »); **9** 15 (*idem*); **12** 24 (« une alliance récente »).

b) Ou « de l'esprit ».

c) Voir Rm **7** 6.

d) La loi était un *ministère de mort* et *de condamnation* (v. 9), parce qu'elle édictait des préceptes sans donner la force de les accomplir et qu'elle condamnait à mort le pécheur après l'avoir fait pécher. Voir Rm **3** 20; **7** 7-11; **5** 20; Ga **3** 19.

e) Sur ces *lettres* voir Ex **32** 16.

f) Voir Ex **34** 30.

g) Ex **34** 33-35.

h) Interprétation libre de Ex **34** 33-35, à la manière rabbinique.

fait disparaître[a]. [15] Oui, jusqu'à ce jour, toutes les fois qu'on lit Moïse, un voile est posé sur leur cœur. [16] C'est quand on se convertit au Seigneur que le voile tombe[b]. [17] Car le Seigneur, c'est l'Esprit[c], et où est l'Esprit du Seigneur, là est la liberté. [18] Et nous tous qui, le visage découvert[d], réfléchissons[e] comme en un miroir la gloire du Seigneur[f], nous sommes transformés en cette même image[g], allant de gloire en gloire, comme il convient au Seigneur, qui est Esprit.

4. [1] C'est pourquoi, miséricordieusement investis de ce ministère, nous ne faiblissons pas, [2] mais nous avons répudié les silences de la honte[h], ne nous conduisant pas avec astuce et ne falsifiant pas la parole de Dieu. Bien au contraire, par la manifestation de la vérité, nous nous recommandons à toute conscience humaine devant Dieu[i]. [3] Que si notre Évangile demeure voilé, c'est pour ceux qui se perdent qu'il est voilé, [4] pour les incrédules, dont le dieu de ce monde[j] a aveuglé l'entendement[k] afin qu'ils ne voient pas resplendir l'Évangile de la gloire du Christ,

---

a) Texte d'or pour l'intelligence de l'A. T. — Autre traduction : « Il ne leur est pas dévoilé que cette alliance a été abolie par le Christ. »

b) Influence littéraire d'Ex **34** 34 (Septante).

c) Formule oratoire qui ne porte pas atteinte à la *personne* de l'Esprit (de même v. 18). On traduit aussi « esprit ».

d) Sans voile, comme Moïse.

e) D'autres traduisent : « qui, à visage découvert, contemplons comme en un miroir... »

f) La *gloire du Seigneur* est celle de Jésus Christ, car « la gloire de Dieu est sur la face du Christ » (**4** 6).

g) Admirable texte sur la divinisation progressive de l'âme chrétienne par la contemplation.

h) Il s'agit sans doute de la fausse honte qui persuaderait au prédicateur de taire une partie du message chrétien ou de l'édulcorer.

i) Cf. 2 Co **2** 17; 1 Th **2** 3-5.

j) Satan, cf. Ep **2** 2. Voir Lc **4** 6; Jn **12** 31; **14** 30; **16** 11.

k) Cet aveuglement est consécutif à leur refus « d'accueillir l'amour de la vérité qui les eût sauvés » (2 Th **2** 10).

qui est l'image de Dieu^a. ⁵ Car ce n'est pas nous que nous prêchons, mais le Christ Jésus, le Seigneur; nous ne sommes, nous, que vos serviteurs, pour l'amour de Jésus. ⁶ En effet le Dieu qui a dit^b : « Que du sein des ténèbres brille la lumière » est Celui qui a brillé dans nos cœurs^c, pour faire resplendir la connaissance de la gloire de Dieu, qui est sur la face du Christ.

Tribulations et espérances du ministère.

⁷ Mais ce trésor, nous le portons en des vases d'argile^d, pour qu'on voie bien que cette extraordinaire puissance appartient à Dieu et ne vient pas de nous. ⁸ Nous sommes pressés de toutes parts, mais non pas écrasés; ne sachant qu'espérer, mais non désespérés; ⁹ persécutés, mais non abandonnés; terrassés, mais non annihilés. ¹⁰ Nous portons partout et toujours en notre corps les souffrances de mort de Jésus, afin que la vie de Jésus soit, elle aussi, manifestée dans notre corps. ¹¹ Quoique vivants en effet, nous sommes sans cesse livrés à la mort à cause de Jésus, afin que la vie de Jésus soit, elle aussi, manifestée dans notre chair mortelle. ¹² Ainsi la mort fait son œuvre en nous, et la vie en vous^e.

¹³ Mais, possédant ce même esprit de foi dont il est écrit : *J'ai cru, c'est pourquoi j'ai parlé,* nous croyons, nous aussi,

Ps **116** 10

---

4 5. « *le Christ Jésus* » *B H K L ;* « *Jésus Christ* » *S A C D* P⁴⁶.

---

a) Cf. Col **1** 15; He **1** 3 et aussi Jn **12** 41, 45; **14** 9.

b) Voir Gn **1** 3.

c) Lors de la conversion de Paul (Ga **1** 15-16; Ac **26** 16-18).

d) Peut-être pourrait-on traduire : « en des corps d'argile » (cf. 1 Th **4** 4), et y voir une allusion au récit de la Genèse (**2** 7). On cite souvent ce texte d'une manière abusive pour marquer la fragilité de la « sainte vertu ».

e) Les labeurs, fatigues et dangers du ministère apostolique épuisent les forces des apôtres et détruisent peu à peu leur corps, tandis que Dieu, par leur intermédiaire, répand sa vie dans l'âme des croyants.

et c'est pourquoi nous parlons, [14] sachant bien que Celui qui a ressuscité le Seigneur Jésus nous ressuscitera nous aussi avec Jésus, et nous placera près de lui avec vous[a]. [15] Car tout cela est pour vous, afin qu'une grâce plus abondante fasse abonder l'action de grâces chez un plus grand nombre à la gloire de Dieu.

[16] C'est pourquoi nous ne faiblissons pas. Bien au contraire, encore que l'homme extérieur[b] en nous s'en aille en ruines, l'homme intérieur se renouvelle de jour en jour. [17] Oui, la légère tribulation d'un moment nous prépare, bien au delà de toute mesure, une masse éternelle de gloire. [18] Aussi bien ne regardons-nous pas aux choses visibles, mais aux invisibles; les choses visibles en effet n'ont qu'un temps, les invisibles sont éternelles.

5. [1] Nous savons en effet que si cette tente — notre demeure terrestre — vient à être détruite, nous avons une maison qui est l'œuvre de Dieu[c], une demeure éternelle qui n'est pas faite de main d'homme, et qui est dans les cieux. [2] Aussi bien gémissons-nous dans cet état, ardemment désireux de revêtir par-dessus l'autre notre habitation céleste[d], [3] puisque, l'ayant revêtue, nous ne serons pas trouvés nus[e]. [4] Oui, nous qui sommes dans cette tente, nous gémissons accablés; nous ne voudrions pas en effet

---

a) Paul ne fait pas ici allusion au jugement, mais au triomphe des élus (1 Th **4** 14).

b) L'homme extérieur, c'est le corps passible et mortel; l'homme intérieur (Rm **7** 22; Ep **3** 16), c'est l'être spirituel créé en nous par le baptême et qui ne cesse de grandir par la grâce et l'inhabitation de l'Esprit.

c) C'est le *corps spirituel* de 1 Co **15** 44-45.

d) C'est-à-dire être dotés de notre « corps spirituel » sans passer par la mort et la corruption (v. 4).

e) Paul voudrait bien être de ces privilégiés que la Venue du Seigneur trouvera vivants, et dont le corps sera transformé sans passer par la mort. Ils « revêtiront », si l'on peut dire, le « corps spirituel » par-dessus le « corps psychique » (1 Co **15** 44, 53, 54), qui sera *englouti* par le premier. — Texte difficile, qui a suscité un grand nombre d'interprétations.

nous dévêtir, mais revêtir par-dessus l'autre ce second vêtement, afin que ce qui est mortel soit englouti par la vie. ⁵ Et Celui qui nous a faits pour ce destin-là, c'est Dieu, qui nous a donné les arrhes de l'Esprit[a].

⁶ Ainsi donc, toujours pleins d'assurance, et sachant bien que demeurer dans ce corps, c'est vivre en exil loin du Seigneur, ⁷ car nous cheminons dans la foi, non dans la claire vision[b]... ⁸ Nous sommes donc pleins d'assurance et préférons quitter ce corps pour aller demeurer auprès du Seigneur[c]. ⁹ Aussi bien, que nous demeurions en ce corps ou que nous le quittions, avons-nous à cœur de lui plaire. ¹⁰ Car il faut que nous tous soyons mis à découvert devant le tribunal du Christ, pour que chacun retrouve ce qu'il aura fait pendant qu'il était dans son corps, soit en bien, soit en mal.

¹¹ Connaissant[d] donc la crainte du Seigneur, nous cherchons à convaincre les hommes. Quant à Dieu, nous sommes à découvert devant lui, et j'espère bien que, dans vos consciences aussi, nous sommes à découvert. ¹² Nous ne recommençons pas à nous faire valoir[e] nous-mêmes devant vous; nous vous donnons seulement des raisons de vous montrer fiers de nous, afin que vous ayez de quoi répondre à ceux qui tirent gloire de ce qui se voit et non de ce qui est dans le cœur. ¹³ En effet, si nous avons été hors de sens, c'était pour Dieu; si nous

L'exercice du ministère apostolique.

---

a) Voir **1** 22.

b) Cf. 1 Co **13** 12.

c) L'âme du fidèle ne saurait être séparée du Christ un seul instant (Ph **1** 21-23).

d) Au sens fort, c'est-à-dire « pénétrés de la crainte du Seigneur ».

e) Cf. **3** 1; **12** 11; **10** 12.

sommes raisonnables, c'est pour vous[a]. [14] Car l'amour
du Christ[b] nous presse, à la pensée que, si un seul est
mort pour tous, alors tous sont morts[c]. [15] Et il est mort
pour tous, afin que les vivants ne vivent plus pour
eux-mêmes, mais pour celui qui est mort et ressuscité
pour eux[d].

[16] Aussi ne connaissons-nous plus désormais personne
selon la chair[e]. Même si nous avons connu le Christ
selon la chair, nous ne le connaissons plus ainsi à présent.
[17] Si donc quelqu'un est dans le Christ, c'est une création
nouvelle; l'être ancien a disparu, un être nouveau est là[f].
[18] Et le tout vient de Dieu, qui nous a réconciliés avec
Lui par le Christ et nous a confié le ministère de la réconciliation. [19] Car c'était Dieu qui, dans le Christ, se réconci-
liait le monde, ne tenant plus compte des fautes des
hommes, et mettant sur nos lèvres la parole de la réconci-

---

5 17. « *un être nouveau est là* » *S B C F G* ; « *tout est nouveau* » *D*c *E K L*.

---

a) Verset difficile. Voici le sens qui nous paraît le plus probable. Les
adversaires de Paul lui reprochent de ne rien faire comme tout le monde,
de se donner à sa tâche avec des exagérations d'illuminé, d'apporter dans
toute sa conduite une démesure, une passion qui confine à la *folie*. Paul
répond que c'est pour Dieu. Mais il lui arrive aussi d'être *raisonnable*,
de peser le pour et le contre, d'agir avec prudence et finesse, de s'exprimer
clairement sur ses actes et leurs mobiles. Auquel cas, dit Paul, c'est dans
l'intérêt des Corinthiens.

b) L'amour que le Christ a pour nous (génitif subjectif) et aussi l'amour
que nous avons pour le Christ (génitif objectif).

c) Le Christ, nouvel Adam et chef de l'humanité, le représentant
devant Dieu de toute l'espèce humaine, entraîne dans son sort tous les
fils d'Adam.

d) Cf. Rm **14** 7-9.

e) C'est-à-dire avec les seules lumières de « l'homme psychique » (1 Co
2 14) et en se fiant aux apparences. Paul ne veut pas dire qu'il a connu personnellement le Christ aux jours de sa vie mortelle, mais qu'il a porté sur lui
un jugement inspiré par la « chair », jusqu'au jour où il a plu à Dieu de
« révéler son Fils en lui » (Ga **1** 15-16).

f) Cf. Rm **6** 4; **8** 10; Ga **6** 15; Ep **4** 24; Col **3** 10.

liation. [20] Nous sommes donc en ambassade pour le Christ ; c'est comme si Dieu exhortait par nous. Nous vous en supplions pour le Christ : laissez-vous réconcilier avec Dieu. [21] Celui qui n'avait pas connu le péché, Il l'a fait péché[a] pour nous, afin qu'en lui nous devenions justice de Dieu.

6. [1] Et puisque nous sommes ses coopérateurs, nous vous exhortons encore à ne pas recevoir en vain la grâce de Dieu. [2] Car Il dit : *Au temps favorable, je t'ai exaucé ; au jour du salut, je t'ai secouru.* Le voici maintenant le temps favorable, le voici maintenant le jour du salut. [3] Nous ne donnons à personne aucun sujet de scandale, pour que notre ministère ne soit pas décrié[b]. [4] Au contraire, nous nous affirmons en tout comme des ministres de Dieu : par une grande constance dans les tribulations, dans les détresses, dans les angoisses, [5] sous les coups, dans les prisons, dans les émeutes, dans les fatigues, dans les veilles, dans les jeûnes[c]; [6] par la pureté, par la science, par la longanimité, par la bénignité, par un esprit saint, par une charité sans feinte, [7] par la parole de vérité, par la puissance de Dieu; par les armes offensives et défensives de la justice; [8] dans l'honneur et l'humiliation, dans la mauvaise et la bonne réputation; tenus pour imposteurs et pourtant véridiques; [9] pour gens obscurs, nous pourtant si connus; pour gens qui vont mourir, et nous voilà vivants; pour gens qu'on châtie, mais sans les mettre à mort; [10] pour affligés, nous qui sommes toujours joyeux; pour pauvres, nous qui faisons tant

Is **49** 8

---

a) Il a identifié juridiquement Jésus avec le *péché,* et il a fait peser sur lui la malédiction encourue par le péché (Ga **3** 13). On peut aussi entendre « péché » dans le sens de : « sacrifice pour le péché ».

b) Même pensée **8** 21.

c) Voir 1 Co **4** 13 et la note.

de riches ; pour gens qui n'ont rien, nous qui possédons tout[a].

Épanchements et avertissements. [11] Nous vous avons parlé en toute liberté[b], Corinthiens ; notre cœur s'est grand ouvert. [12] Vous n'êtes pas à l'étroit chez nous ; c'est dans vos cœurs que vous êtes à l'étroit. [13] Payez-nous donc de retour ; je vous parle comme à mes enfants, ouvrez tout grand votre cœur, vous aussi.

[14c] Ne formez pas avec des infidèles d'attelage disparate[d]. Quel rapport en effet entre la justice et l'impiété ? Quelle union entre la lumière et les ténèbres ? [15] Quelle entente entre le Christ et Béliar[e] ? Quelle association entre le fidèle et l'infidèle ? [16] Quel accord entre le temple de Dieu et les idoles ? Or nous sommes le temple du Dieu vivant, ainsi que Dieu l'a dit[f] : *J'habiterai au milieu d'eux et j'y marcherai ; je serai leur Dieu et ils seront mon peuple.* [17] *Sortez donc du milieu de ces gens-là et tenez-vous à l'écart, dit le Seigneur. Ne touchez rien d'impur, et moi, je vous accueillerai.* [18] *Je serai pour vous un père, et vous serez pour moi des fils et des filles, dit le Seigneur tout-puissant.*

---

6 15. « *Béliar* » *A S D ;* « *Bélial* » *D K.*
16. « *Or nous sommes* » *A S B ;* « *Or vous êtes* » *C E F G* P[46].

a) Sur les vv. 9 et 10, cf. 1 Co **7** 31 et la note.
b) Litt. « Notre bouche s'est ouverte vers (ou : pour) vous. »
c) Sur le passage **6** 14-**7** 1, qui, à première vue, paraît étranger au contexte, voir l'Introduction, p. 82.
d) L'image semble empruntée à Dt **22** 10 : « Tu ne laboureras pas avec un bœuf et un âne attelés ensemble. » Paul presse les Corinthiens de mettre de l'unité dans leur pensée et leur conduite. Chez un disciple du Christ, tout compromis est inadmissible.
e) *Béliar* ou *Bélial* (le Vaurien) désigne le diable dans la littérature juive. On le trouve fréquemment dans les manuscrits de Qumrân.
f) Cette citation réunit divers textes cités librement. V. 16 : Lv **26** 11-12 et Ez **37** 27. V. 17 : Is **52** 11 et Jr **51** 45. V. 18 : 2 S **7** 14 ; Jr **31** 9 ; Is **43** 6.

7. ¹ En possession de telles promesses, bien-aimés, purifions-nous de toute souillure de la chair et de l'esprit*a*, achevant de nous sanctifier dans la crainte de Dieu.

² Faites-nous place en vos cœurs. Nous n'avons lésé personne, nous n'avons ruiné personne, nous n'avons exploité personne. ³ Je ne dis pas cela pour vous condamner. Je vous l'ai déjà dit : vous êtes dans nos cœurs à la vie et à la mort. ⁴ J'ai grande confiance en vous, je suis très fier de vous. Je suis tout rempli de consolation; je surabonde de joie dans toutes nos tribulations.

Paul en Macédoine, où Tite l'a rejoint. ⁵ De fait, à notre arrivée en Macédoine*b*, notre chair*c* ne connut pas d'apaisement. De tous côtés des tribulations : au dehors, des luttes; au dedans, des craintes. ⁶ Mais le Dieu qui console les faibles nous a consolés par l'arrivée de Tite*d*, ⁷ et non seulement par son arrivée, mais encore par la consolation que vous-mêmes lui aviez donnée. Il nous a fait part de votre ardent désir, de votre désolation, de votre zèle pour moi, si bien qu'en moi la joie a prévalu.

⁸ Vraiment, si je vous ai attristés par ma lettre*e*, je ne le regrette pas. Et si je l'ai regretté, — je vois bien que cette lettre vous a, ne fût-ce qu'un instant, attristés, — ⁹ je m'en réjouis à présent. Non de ce que vous avez été

---

7 5. « *ne connut pas* (litt. *n'eut pas*) *d'apaisement* » *S C D E* ; « *ne connaissait pas* (litt. *n'avait pas*) *d'apaisement* » *B F G* P⁴⁶.

8. « *je vois bien* » *B D*ᶜ; « *en voyant* » P⁴⁶ *Vulg.*

---

a) Ainsi donc l'*esprit* n'est pas hors des atteintes du péché.

b) Cf. Ac **20** 1-2.

c) Ce mot désigne ici toute la personne de Paul, envisagée sous son aspect de faiblesse.

d) Sur Tite, voir **2** 13. Sur les événements, voir l'Introduction, p. 79.

e) La lettre « sévère ».

attristés, mais de ce que cette tristesse vous a portés au repentir. Car vous avez été attristés selon Dieu, en sorte que vous n'avez, de notre part, subi aucun dommage. [10] La tristesse selon Dieu produit en effet un repentir salutaire qu'on ne regrette pas; la tristesse du monde, elle, produit la mort. [11] Voyez plutôt ce qu'elle a produit chez vous, cette tristesse selon Dieu. Quel empressement ! Que dis-je ? Quelles excuses ! Quelle indignation ! Quelle crainte ! Quel ardent désir ! Quel zèle ! Quelle punition[a] ! Vous avez montré de toutes manières que vous étiez innocents en cette affaire[b]. [12] Aussi bien, si je vous ai écrit, ce n'est ni à cause de l'offenseur ni à cause de l'offensé[c]. C'était pour faire éclater chez vous devant Dieu l'empressement que vous avez à notre égard. [13] Voilà ce qui nous a consolés.

A cette consolation personnelle s'est ajoutée une joie bien plus grande encore, celle de voir la joie de Tite, dont l'esprit a reçu apaisement de vous tous. [14] Que si devant lui je me suis quelque peu vanté de vous, je n'ai pas eu à en rougir. Au contraire, de même qu'en toutes choses nous vous avons dit la vérité, ainsi ce dont nous nous sommes vantés auprès de Tite s'est trouvé véridique. [15] Et son affection pour vous redouble, quand il se rappelle votre obéissance à tous, comment vous l'avez reçu avec crainte et tremblement[d]. [16] Je me réjouis de pouvoir en tout compter sur vous.

---

14. « *en toutes choses* » *S B D E ;* « *toujours* » *C F G.*

---

a) Sentiments et conduite des Corinthiens à l'égard de Paul et du coupable, à la suite de la lettre « sévère ». Cf. 2 5-8.

b) Voir l'Introduction, p. 79.

c) L' « offensé » était probablement un envoyé de Paul. Voir l'Introduction, p. 77.

d) Expression stylisée, dont il convient de ne pas trop presser le sens. Voir 1 Co 2 3 et la note.

II

ORGANISATION DE LA COLLECTE

8. ¹ Nous voulons vous

Motifs de générosité. faire connaître, frères, la

grâce que Dieu a accordée
aux Églises de Macédoine*ᵃ*. ² Parmi les multiples tribulations qui les ont éprouvés, leur joie surabondante et leur profonde pauvreté ont débordé chez eux en trésors de générosité*ᵇ*. ³ Selon leurs moyens, je l'atteste, et au delà de leurs moyens, de façon toute spontanée, ⁴ ils nous ont demandé avec une vive insistance la faveur de participer à ce service en faveur des saints*ᶜ*. ⁵ Dépassant même nos espérances, ils se sont offerts eux-mêmes, au Seigneur d'abord, puis à nous, par la volonté de Dieu. ⁶ Aussi avons-nous prié Tite de mener encore à bonne fin chez vous cette libéralité, comme il l'avait commencée.

⁷ Mais puisque vous excellez en tout, foi, éloquence, science, empressement de toute nature, charité que nous vous avons communiquée, il vous faut aussi exceller en cette libéralité. ⁸ Ce n'est pas un ordre que je donne ; je veux seulement, par l'empressement des autres, éprouver la sincérité de votre charité. ⁹ Vous connaissez la libéralité*ᵈ*

---

8 7. « *charité que nous vous avons communiquée* » B P⁴⁶ ; « *charité pour vous qui nous unit à vous* » S C D G.

---

a) Voir 1 Co **16** 5.

b) On peut aussi traduire : « leur joie a surabondé et leur profonde pauvreté a débordé... ».

c) C'est-à-dire des frères de Jérusalem. Voir 1 Co **16** 1.

d) Ou encore : « la grâce ».

de notre Seigneur Jésus Christ, comment de riche il s'est fait pauvre pour vous, afin de vous enrichir par sa pauvreté. [10] C'est donc un simple avis que je donne là-dessus; et c'est ce qui vous convient, à vous qui, dès l'an passé, avez été les premiers non seulement à entreprendre cette œuvre, mais encore à la décider. [11] Maintenant donc achevez votre œuvre, et qu'ainsi les actes répondent, selon vos moyens, à l'ardeur du vouloir. [12] Lorsque l'ardeur y est, on est agréé pour ce qu'on a; il n'est pas question de ce qu'on n'a pas. [13] Il ne s'agit point, pour soulager les autres, de vous réduire à la gêne; ce qu'il faut, c'est l'égalité. [14] Dans le cas présent, votre superflu pourvoit à leur dénuement, pour que leur superflu pourvoie un jour à votre dénuement. Ainsi régnera l'égalité, [15] selon ce qui est écrit[a] : *Celui qui avait beaucoup recueilli* Ex 16 18 *n'eut rien de trop, et celui qui avait peu recueilli ne manqua de rien.*

[16] Grâces soient à Dieu, qui met au cœur de Tite le

Recommandation des délégués.

même empressement pour vous. [17] Il a répondu à mon appel. Plus empressé même que jamais, c'est de sa propre initiative qu'il se rend chez vous. [18] Avec lui nous envoyons le frère dont toutes les Églises font l'éloge au sujet de l'Évangile[b]. [19] Ce n'est pas tout; il a encore été désigné par le suffrage des Églises comme notre compa-

---

9. « *il s'est fait pauvre pour vous* » S B D ; « *il s'est fait pauvre pour nous* » C K *grand nombre de minuscules.*

16. « *qui met* » S B C ; « *qui a mis* » P46 D G L *et grand nombre de minuscules.*

---

a) Dans ce texte de l'Exode, il est question de la manne, exactement répartie selon les besoins de chacun.

b) Il est possible que ce « frère » soit Luc. Dans ce cas, « au sujet de l'Évangile » ne serait pas une allusion à son œuvre littéraire, mais aux services rendus par lui à la cause de l'Évangile, et peut-être au grand renom de sa catéchèse.

gnon de voyage dans cette libéralité, à laquelle nous nous consacrons pour la gloire du Seigneur lui-même et la satisfaction de notre cœur[a]. [20] Par là nous voulons nous éviter tout blâme au sujet de ces grosses sommes dont nous avons la charge ; [21] car *nous avons à cœur ce qui est bien,* non seulement *devant Dieu,* mais *encore* devant *les hommes*[b].

Pr **3** 4 LXX

[22] Avec eux nous envoyons aussi celui de nos frères[c] dont nous avons éprouvé l'empressement de maintes manières et en maintes circonstances, et qui dans le cas présent se montre beaucoup plus empressé, en raison de la grande confiance qu'il a en vous. [23] Pour ce qui est de Tite, c'est mon compagnon et mon collaborateur auprès de vous ; quant à nos frères, ce sont les délégués des Églises, la gloire du Christ[d]. [24] Donnez-leur donc, à la face des Églises, la preuve de votre charité et du bien-fondé de notre fierté à votre égard.

9. [1] Quant à ce service en faveur des saints, il est superflu pour moi de vous en écrire[e]. [2] Je sais en effet votre ardeur et vous en vante auprès des Macédoniens : « L'Achaïe[f], leur dis-je, est prête depuis l'an passé. » Et votre zèle a été un stimulant pour le plus grand nombre. [3] Toutefois, je vous envoie les frères, pour que la fierté que nous tirons de vous ne soit pas anéantie sur ce point, et que vous soyez prêts, ainsi que je l'ai dit. [4] Autrement, si des Macédoniens

---

a) Autre traduction : « en preuve de notre bonne volonté ».

b) Paul se montre toujours soucieux de la bonne réputation du chrétien : Rm **12** 17-18 ; **14** 18 ; 1 Co **6** 1-4 ; **14** 23-25 ; 1 Th **4** 12 ; 1 Tm **3** 7 ; Tt **2** 8.

c) Ce « frère » est inconnu.

d) Ils lui font honneur ; ou bien ils en sont le reflet (cf. 1 Co **11** 7).

e) Cette déclaration, venant après un ch. où d'un bout à l'autre il n'est question que de la collecte, n'est pas sans surprendre. Aussi peut-on voir dans le ch. **9** un billet aux églises d'Achaïe, inséré plus tard à la suite des instructions adressées par Paul sur le même sujet à l'église de Corinthe. Voir l'Introduction, pp. 82-83.

f) Voir 1 Co **16** 15.

viennent avec moi et ne vous trouvent pas prêts, notre belle assurance tournerait à notre confusion, pour ne pas dire à la vôtre. ⁵ J'ai donc cru devoir inviter les frères à nous précéder chez vous, et à organiser d'avance votre largesse déjà annoncée*a*, afin qu'elle soit prête comme une largesse et non comme une lésinerie.

Bienfaits qui résulteront de la collecte.

⁶ Songez-y : qui sème chichement moissonnera chichement; qui sème largement moissonnera largement. ⁷ Que chacun donne selon ce qu'il a décidé dans son cœur, non d'une manière chagrine ou contrainte; car *Dieu aime qui donne avec joie*b. ⁸ Dieu d'ailleurs a le pouvoir de vous combler de toutes sortes de grâces, en sorte qu'ayant toujours et en toute chose tout ce qu'il vous faut, il vous reste du superflu pour toute bonne œuvre. ⁹ C'est ce qui est écrit : *Il a répandu ses bienfaits, il a donné aux pauvres ; sa justice*c *demeure à jamais.*

Pr 22 8 LXX

Ps 112 9

¹⁰ Celui qui fournit *au laboureur la semence et le pain qui le nourrit* vous fournira la semence à vous aussi, et en abondance, et il fera croître *les fruits de votre justice.* ¹¹ Enrichis de toutes manières, vous pourrez pratiquer toutes les générosités, lesquelles, par notre entremise*d, feront monter vers Dieu l'action de grâces. ¹² Car le service de cette prestation sacrée ne pourvoit pas seulement aux besoins des saints; il est encore une source de nombreuses actions de grâces envers Dieu. ¹³ Ce service leur montrant ce que vous êtes, ils glorifient Dieu pour votre obéissance dans la profession de l'Évangile du Christ

Is 55 10

Os 10 12

---

a) Ou : « promise ».
b) Citation libre des Septante.
c) Soit sa rectitude morale, soit son aumône.
d) Puisque c'est Paul qui organise la collecte.

et pour la générosité de votre communion avec eux et avec tous[a]. [14] Et leur prière pour vous manifeste la tendresse qu'ils vous portent, en raison de la grâce surabondante que Dieu a répandue sur vous. [15] Grâces soient à Dieu pour son ineffable don[b] !

III

APOLOGIE DE PAUL

Réponse à l'accusation de faiblesse.

10. [1] C'est moi, Paul en personne, qui vous en prie, par la douceur et la bienveillance du Christ[c], moi si humble devant vous, mais si hardi de loin à votre égard[d]. [2] Je vous en supplie : que je n'aie pas, une fois chez vous, à user hardiment de cette assurance dont j'entends faire preuve contre certaines gens qui se figurent que notre conduite s'inspire de la chair[e]. [3] Nous vivons dans la chair, évidemment, mais nous ne combattons pas avec les moyens de la chair. [4] Non, les armes de notre combat ne sont point charnelles[f], mais elles ont, pour la cause de

---

a) « Les Juifs baptisés de Jérusalem... seront convaincus désormais que ces convertis de la gentilité professent bien, sans restrictions, la même foi qu'eux-mêmes, puisqu'ils entrent si excellemment dans l'esprit du même Évangile » (Allo).

b) La Rédemption même, par où Jésus nous manifeste sa « libéralité » (**8** 9), et qui est la source de toutes les grâces.

c) Ces mots sont la preuve que Paul a décrit aux fidèles de Corinthe la physionomie morale du Christ. Se rappeler que l'évangile de saint Luc, le disciple et l'ami de Paul, dont on peut croire qu'il a été question **8** 18-19, est par excellence l'évangile « de la douceur et de la mansuétude du Christ ».

d) Allusion à des reproches ironiques que lui adressaient ses adversaires (**10** 10).

e) C'est-à-dire de considérations d'ordre purement humain.

f) Elles n'ont pas la fragilité, le peu de puissance de la chair.

Dieu^a, le pouvoir de renverser les forteresses. Nous détruisons les sophismes ⁵ et toute puissance altière qui se dresse contre la connaissance de Dieu, et nous faisons toute pensée captive pour l'amener à obéir au Christ^b. ⁶ Et nous sommes prêts à châtier toute désobéissance, dès que votre obéissance à vous sera parfaite.

⁷ Rendez-vous à l'évidence^c. Si quelqu'un se flatte d'être au Christ^d, qu'il se le dise une bonne fois : s'il est au Christ, nous le sommes aussi. ⁸ Et quand bien même je me vanterais un peu trop de notre pouvoir, de ce pouvoir que le Seigneur nous a donné pour votre édification^e et non pour votre ruine, je n'en rougirai pas. ⁹ Car je ne veux pas paraître vouloir vous effrayer par mes lettres. ¹⁰ « Les lettres, dit-on, sont énergiques et sévères; mais quand il est là, c'est un corps chétif, et sa parole est nulle. » ¹¹ Qu'il se le dise bien, celui-là : ce qu'à distance et en paroles nous sommes dans nos lettres, nous le serons aussi de près dans nos actes.

Réponse à l'accusation d'ambition. ¹² Certes, nous n'avons pas l'audace de nous égaler ni de nous comparer à de certaines gens qui se font valoir eux-mêmes. En se mesurant eux-mêmes à leur mesure et

---

10 12-13. *A côté de la leçon adoptée* (*S A B*) *on trouve* (*D G beaucoup de minuscules*) : « *En nous mesurant nous-mêmes à notre mesure et en nous comparant à nous-mêmes, nous ne nous vanterons pas hors de mesure* ».

---

a) Ou « aux yeux de Dieu ».

b) Sur la foi-obéissance, cf. Rm **1** 5; **6** 17; **10** 16; **15** 18; **16** 26; 2 Th **1** 8; He **5** 9.

c) Ou : « Vous regardez aux apparences ».

d) Il s'agit là vraisemblablement d'un propos que tenaient les membres du « parti du Christ » (1 Co **1** 12), qui prétendaient être plus au Christ que les autres et le mieux comprendre.

e) Au sens fort du mot de bâtir, construire, élever. Influence littéraire probable de Jr **1** 10, etc.

en se comparant à eux-mêmes, ils manquent de sens.
¹³ Pour nous, nous n'irons pas nous glorifier hors de
mesure, mais nous prendrons comme mesure la règle
même que Dieu nous a assignée pour mesure, en nous
faisant parvenir jusqu'à vous. ¹⁴ Car nous ne nous éten-
dons pas indûment, comme ce serait le cas si nous n'étions
pas parvenus jusqu'à vous; nous sommes bel et bien arrivés jusqu'à vous avec l'Évangile du Christ. ¹⁵ Nous ne
nous glorifions pas hors de mesure, au moyen des travaux
d'autrui[a]; et nous avons l'espoir, avec les progrès de
votre foi, de nous agrandir de plus en plus suivant notre
règle à nous[b], ¹⁶ en portant l'Évangile au delà de chez
vous, au lieu d'empiéter sur le domaine d'autrui et de

Jr 9 22-23   nous glorifier de travaux tout faits. ¹⁷ *Celui-là qui se glorifie,*
qu'il se glorifie dans le Seigneur[c]. ¹⁸ Ce n'est pas celui qui se
fait valoir lui-même qui est un homme de valeur éprouvée;
c'est celui que fait valoir le Seigneur.

11.   ¹ Oh! si vous pou-
Paul se voit contraint   viez supporter de ma part
de faire   un peu de folie! Mais bien
son propre éloge.   sûr, vous me supportez[d].
                    ² J'éprouve à votre égard en
effet une jalousie divine; car je vous ai fiancés à un époux
unique, comme une vierge pure à présenter au Christ[e].

---

a) Cf. Rm **15** 20.

b) Nous croyons que tel est le sens de ce passage difficile. Mais on peut
aussi traduire : « Nous espérons bien, lorsque votre foi se sera développée,
grandir encore dans votre estime et de plus en plus, toujours selon la règle
qui nous a été assignée. »

c) Voir 1 Co **1** 31.

d) Ou, peut-être : « Eh bien! oui, supportez-moi. »

e) Paul, ami de l'époux, lui présente sa fiancée. Depuis Osée **2**, l'amour
de Yahvé pour son peuple était représenté par l'amour de l'époux et de
l'épouse : Jr **2** 1-7; **3**; **31** 22; **51** 5; Is **49** 14-21; **50** 1; **54** 1-10; **62** 4-5;
Ez **16**; **23**. Le N. T. a repris l'image : Mt **22** 2 s; **25** 1 s; Jn **3** 28-29;
Ep **5** 25-33; Ap **19** 7; **21** 2.

³ Mais j'ai grand'peur qu'à l'exemple d'Ève, que le serpent séduisit par sa fourberie*ᵃ*, vos pensées ne se corrompent et ne s'écartent de la simplicité envers le Christ. ⁴ Si le premier venu en effet vous prêche un autre Jésus que celui que nous avons prêché, s'il s'agit de recevoir un Esprit différent de celui que vous avez reçu, ou un Évangile différent de celui que vous avez accueilli, vous vous y prêtez fort bien. ⁵ J'estime pourtant ne le céder en rien à ces « archiapôtres ». ⁶ Si je ne suis qu'un profane en fait d'éloquence, pour la science, c'est autre chose ; en tout et devant tous *ᵇ*, nous vous l'avons montré.

⁷ Ma faute serait-elle donc, en vous annonçant gratuitement*ᶜ* l'Évangile de Dieu, de m'être abaissé pour vous élever, vous ? ⁸ J'ai dépouillé d'autres Églises, recevant d'elles de quoi vivre pour vous servir. ⁹ Et quand, une fois chez vous, je me suis vu dans le besoin, je n'ai été à charge à personne ; ce sont les frères venus de Macédoine qui ont subvenu à mes besoins *ᵈ*. De toutes manières j'ai évité de vous être à charge, et je l'éviterai. ¹⁰ Aussi sûrement que la vérité du Christ est en moi *ᵉ*, jamais ce motif de fierté ne me sera ravi dans le pays d'Achaïe. ¹¹ Pourquoi ? Parce que je ne vous aime pas *ᶠ* ? Dieu le sait.

¹² Et ce que je fais, je continuerai de le faire, afin d'enlever tout prétexte à ceux qui en voudraient bien un, pour être trouvés nos pareils sur le point où ils se vantent *ᵍ*.

---

11 3. « *de la simplicité* » *Sᶜ Dᶜ K L M bon nombre de minuscules ;* « *de la simplicité et de la pureté* » *S B F G P*⁴⁶.

---

   a) Cf. Gn **3** 1-4.
   b) Ou : « en tout et de toute manière ».
   c) Cf. 1 Co **9** 6, 12, 15, 18.
   d) Voir Ph **4** 15.
   e) Formule de serment.
   f) C'est là sans doute un propos perfide des ennemis de Paul.
   g) Paul « voit dans le désintéressement tel qu'il le pratique une des marques les plus nobles et les plus authentiques de la mission d'apôtre, une

[13] Car ces gens-là sont de faux apôtres, des ouvriers perfides, qui se déguisent en apôtres du Christ. [14] Et rien d'étonnant : Satan lui-même se déguise bien en ange de lumière[a]. [15] Il n'est donc pas surprenant que ses ministres aussi se déguisent en ministres de justice. Mais leur fin sera digne de leurs œuvres.

[16] Je le répète, qu'on ne me prenne pas pour un fou; sinon, acceptez-moi comme tel, que je puisse à mon tour me vanter un peu. [17] Ce que je vais dire, je ne le dirai pas selon le Seigneur, mais comme en un accès de folie, dans l'assurance où je suis d'avoir de quoi me vanter[b]. [18] Puisque tant d'autres se vantent selon la chair[c], je vais, moi aussi, me vanter. [19] Vous supportez si volontiers les fous, vous qui êtes sensés ! [20] Oui, vous supportez qu'on vous asservisse, qu'on vous dévore, qu'on vous pille, qu'on vous traite avec arrogance, qu'on vous frappe au visage[d]. [21] Je le dis à votre honte[e]; c'est à croire que nous nous sommes montrés faibles...

Mais ce dont on se prévaut, — c'est en fou que je parle, — je puis m'en prévaloir, moi aussi. [22] Ils sont Hébreux ? Moi aussi. Israélites ? Moi aussi. Postérité d'Abraham[f] ?

---

marque que ses ennemis n'oseront jamais usurper, et qui, pour tout observateur réfléchi et de bonne foi, le distingue d'eux dès la première vue » (Allo).

a) Peut-être est-ce une allusion à quelque épisode des nombreuses histoires de Satan qui circulaient dans les milieux rabbiniques. Ou bien est-ce tout simplement, en langage imagé, une accusation de Paul.

b) Texte difficile. Autres traductions : « avec cette assurance-là dans la vanterie » (Allo); « dans cette hardiesse que je prends de me glorifier » (Lemonnyer); « c'est un accès de folie qui me donne ainsi l'audace de me vanter » (Bible du Centenaire).

c) C'est-à-dire d'avantages purement humains. Cf. Ph 3 4.

d) Tout en faisant la part de l'hyperbole oratoire, il faut conclure de ce passage que les adversaires de Paul s'étaient montrés durs et arrogants.

e) Ou : « à notre honte ».

f) *Hébreux* vise la race; *Israélites* la religion; *Postérité d'Abraham,* la Promesse (Gn **13** 14-17; **15** 1-6) et l'Alliance (Gn **15** 18-21; **17** 9-14). Paul est donc Juif cent pour cent. Cf. Ph 3 5.

Moi aussi. ²³ Ministres du Christ ? (Je vais dire une folie !)
Moi, plus qu'eux. Bien plus par les travaux, bien plus par
les emprisonnements, infiniment plus par les coups. Souvent j'ai été à la mort. ²⁴ Cinq fois j'ai reçu des Juifs les
trente-neuf coups de fouet[a]; ²⁵ trois fois j'ai été flagellé;
une fois lapidé; trois fois j'ai fait naufrage. Il m'est arrivé[b]
de passer un jour et une nuit dans l'abîme ! ²⁶ Voyages
sans nombre, dangers des rivières, dangers des brigands,
dangers de mes compatriotes, dangers des païens, dangers
de la ville, dangers du désert, dangers de la mer, dangers
des faux frères[c] ! ²⁷ Labeur et fatigue, veilles fréquentes,
faim et soif, jeûnes répétés, froid et nudité[d] ! ²⁸ Et sans
parler du reste, mon obsession quotidienne, le souci de
toutes les Églises ! ²⁹ Qui est faible, que je ne sois faible ?
Qui vient à tomber, qu'un feu ne me brûle ?

³⁰ S'il faut se vanter, c'est de ma faiblesse que je me
vanterai. ³¹ Le Dieu et Père du Seigneur Jésus — béni
soit-il à jamais ! — sait que je ne mens pas. ³² A Damas,
l'ethnarque du roi Arétas faisait garder la ville des Damas-
céniens pour s'emparer de moi, ³³ et c'est par une fenêtre,
dans une corbeille, qu'on me descendit le long du rempart[e],
et ainsi j'échappai à ses mains.

12. ¹ Il faut se vanter ? (cela ne vaut rien pourtant)
eh bien ! j'en viendrai aux visions et révélations du Seigneur. ² Je sais un homme dans le Christ qui, voici

---

a) Les synagogues exerçaient sur les Juifs une certaine juridiction
pénale. Elles pouvaient appliquer la flagellation. Le Deutéronome (**25** 3)
limitait le nombre de coups à quarante. C'est peut-être pour éviter de
dépasser ce chiffre que l'on s'arrêtait à trente-neuf.

b) Nous avons essayé de rendre le « parfait expressif », employé ici à
dessein dans un contexte d'aoristes. Les circonstances dans lesquelles Paul
a enduré ces épreuves nous sont pour la plupart inconnues.

c) La mention des « faux frères » en fin d'énumération est particulièrement émouvante : Paul en a souffert cruellement.

d) Voir 1 Co **4** 13 et la note.

e) Voir Ac **9** 23-25, dont le récit est quelque peu différent.

quatorze ans[a], — était-ce en son corps ? je ne sais ; était-ce hors de son corps ? je ne sais ; Dieu le sait, — ... cet homme-là fut ravi jusqu'au troisième ciel[b]. ³ Et cet homme-là, — était-ce en son corps ? était-ce sans son corps ? je ne sais, Dieu le sait, — je sais ⁴ qu'il fut ravi jusqu'au paradis[c] et qu'il entendit des paroles ineffables, qu'il n'est pas permis à l'homme de redire. ⁵ Pour cet homme-là je me vanterai ; mais pour moi, je ne me vanterai que de mes faiblesses. ⁶ Oh ! si je voulais me vanter, je ne serais pas fou ; je ne dirais que la vérité. Mais je m'abstiens, de peur qu'on ne se fasse de moi une idée supérieure à ce qu'on voit en moi ou ce qu'on m'entend dire[d].

⁷ Et pour que l'excellence même de ces révélations ne m'enorgueillisse pas[e], il m'a été mis une écharde en la chair[f], un ange de Satan chargé de me souffleter — pour que je ne m'enorgueillisse pas ! ⁸ A ce sujet, par trois fois[g], j'ai prié le Seigneur pour qu'il s'éloigne de moi. ⁹ Mais il

---

12 7. *Le deuxième « pour que je ne m'enorgueillisse pas », fortement attesté* (*S B* P⁴⁶), *est omis par A D G et quelques minuscules.*

---

a) Par conséquent vers 43. A cette époque, Paul se trouvait en Cilicie ou à Antioche.

b) C'est-à-dire au plus haut des cieux.

c) Ces répétitions donnent à ce morceau une allure strophique. Il y a peu de chances qu'il s'agisse de deux visions distinctes, le « paradis » ou séjour des bienheureux désignant la même réalité que le « troisième ciel ».

d) Ou : « ce qu'on entend dire de moi ».

e) On peut aussi rattacher le début du v. 7 au v. 6 et traduire : « de peur qu'on ne se fasse de moi une idée supérieure à ce qu'on voit en moi ou à ce qu'on m'entend dire, en raison même de l'excellence de ces révélations. Voilà pourquoi, afin que je ne m'enorgueillisse pas... » La phrase est embarrassée et le texte n'est pas critiquement sûr.

f) Sur cette *écharde* et cet *ange de Satan* on a discuté avec passion, et l'on discutera sans doute longtemps encore. Ce n'est sûrement pas « l'aiguillon de la concupiscence ». L'hypothèse la plus vraisemblable est celle d'une maladie à accès sévères et imprévisibles.

g) A prendre littéralement, comme pour les trois prières de Jésus au jardin des Oliviers (Mt **26** 39-44), ou bien comme synonyme de souvent.

m'a déclaré[a] : « Ma grâce te suffit : car la puissance se déploie dans la faiblesse. » C'est donc de grand cœur que je me vanterai surtout de mes faiblesses, afin que repose sur moi la puissance du Christ. [10] Oui, je me complais dans mes faiblesses, dans les outrages, les détresses, les persécutions, les angoisses endurées pour le Christ; car lorsque je suis faible, c'est alors que je suis fort.

[11] Me voilà devenu fou ! C'est vous qui m'y avez contraint. C'était à vous de me faire valoir. Car je n'ai été nullement inférieur à ces « archiapôtres », bien que je ne sois rien[b]. [12] Les traits distinctifs de l'apôtre, vous les avez vus se réaliser parmi vous : parfaite constance, signes, prodiges et miracles[c]. [13] Qu'avez-vous eu de moins que les autres Églises, sinon que personnellement je ne vous ai pas été à charge ? Pardonnez-moi cette injustice[d]. [14] Voici que je suis prêt à me rendre chez vous pour la troisième fois, et je ne vous serai pas à charge; car ce que je cherche, ce ne sont pas vos biens, mais vous. Ce n'est pas en effet aux enfants à thésauriser pour les parents, mais aux parents pour les enfants. [15] Pour moi, je dépenserai très volontiers et me dépenserai moi-même tout entier pour vos âmes. Faut-il que, vous aimant davantage, je sois moins aimé ?

[16] Soit, dira-t-on; personnellement je ne vous ai pas grevés. Mais, en fourbe que je suis, je vous ai pris par la ruse[e]. [17] Vous aurais-je donc exploités par l'un quelconque de ceux que je vous ai envoyés ? [18] J'ai insisté auprès de

---

a) Décision catégorique (parfait), après laquelle Paul ne doit plus insister.

b) Verset très paulinien, avec son mélange de fierté et d'humilité. Voir 1 Co **15** 10.

c) Cf. 1 Co **2** 4, et aussi 1 Th **1** 5 et Rm **15** 19.

d) Bel exemple d'ironie paulinienne.

e) Propos des adversaires de Paul, peut-être à lui communiqué par Tite.

Tite, et j'ai envoyé avec lui le frère que vous savez[a]. Tite vous aurait-il exploités ? N'avons-nous pas marché dans le même esprit ? suivi les mêmes traces ?

Appréhensions et inquiétudes de Paul. [19] Depuis longtemps, vous vous imaginez que nous nous justifions devant vous. C'est devant Dieu, dans le Christ, que nous parlons. Et tout cela, bien-aimés, pour votre édification. [20] Je crains, en effet, qu'à mon arrivée je ne vous trouve pas tels que je voudrais, et que vous me trouviez tel que vous ne voudriez pas; qu'il n'y ait discorde, jalousie, animosités, disputes, médisances, commérages, insolences, désordres. [21] Je crains qu'à ma prochaine visite, mon Dieu ne m'humilie à votre sujet, et que je n'aie à pleurer sur plusieurs de ceux qui ont péché précédemment et n'ont pas fait pénitence pour leurs actes d'impureté, de fornication et de débauche[b].

13. [1] C'est la troisième fois[c] que je vais aller chez vous.

Dt **19** 15 *Toute affaire se décidera sur la parole de deux ou trois témoins.* [2] Je l'ai déjà dit à ceux qui ont péché précédemment et à tous les autres, et je le redis d'avance aujourd'hui que je suis absent, comme lors de mon second séjour : si je reviens, je serai cette fois sans pitié. [3] Vous voulez, n'est-ce pas, une preuve que le Christ parle en moi, lui qui n'est pas

---

19. « *Depuis longtemps, vous vous imaginez* » *A B S ;* « *Vous vous imaginez encore* » *D E L nombre de minuscules Syr.*

20. « *discorde* » *S A,* « *jalousie A B D* »; « *discordes* » *B D G Lat,* « *jalousies* » *S nombre de minuscules Lat.*

---

a) Voir **8** 18-22.

b) Il s'agit de membres de la communauté qui ont commis de graves fautes depuis leur conversion.

c) *La troisième fois* (cf. **12** 14). La première, lors de la fondation de l'Église; la seconde, lors de la « visite intermédiaire ».

faible à votre égard, mais qui est puissant parmi vous*ᵃ*.
⁴ Certes, il a été crucifié en raison de sa faiblesse, mais il
est vivant par la puissance de Dieu. Et nous aussi; nous
sommes faibles en lui, bien sûr, mais nous serons vivants
avec lui, par la puissance de Dieu, dans notre conduite à
votre égard.

⁵ Examinez-vous vous-mêmes; voyez si vous êtes dans
la foi. Éprouvez-vous vous-mêmes. Ne reconnaissez-vous
pas que Jésus Christ est en vous ? A moins peut-être que
l'épreuve ne tourne contre vous. ⁶ Vous reconnaîtrez, je
l'espère, qu'elle ne tourne pas contre nous. ⁷ Nous prions
Dieu que vous ne fassiez aucun mal; notre désir n'est pas
de paraître l'emporter dans l'épreuve, mais de vous voir
faire le bien, et de succomber ainsi dans l'épreuve*ᵇ*. ⁸ Car
nous n'avons aucun pouvoir contre la vérité; nous n'en
avons que pour la vérité. ⁹ Oui, nous nous réjouissons,
quand nous sommes faibles et que vous êtes forts*ᶜ*. Ce que
nous demandons dans nos prières, c'est que vous deveniez
parfaits. ¹⁰ Voilà pourquoi je vous écris cela, étant absent,
afin de n'avoir pas, une fois présent, à user de sévérité en
vertu du pouvoir que le Seigneur m'a donné pour édifier,
et non pour détruire*ᵈ*.

---

a) Par des miracles de toute sorte (**12** 12), par des dons spirituels largement répartis (1 Co **1** 5) et aussi par des châtiments (1 Co **11** 30-31).

b) Nous avons essayé de rendre le cliquetis de mots de l'original.

c) Les Corinthiens sont *forts,* quand leur conduite est pleinement chrétienne. Dans ce cas, Paul est *faible ;* car n'ayant rien à reprendre en
eux, il n'a pas à faire usage de sa puissance d'apôtre; il *succombe* alors
dans l'épreuve.

d) Cf. **10** 8. Influence littéraire probable de Jr **1** 10, etc.

CONCLUSION

Recommandations.
Salutations.
Souhait final.

[11] Au demeurant, frères, soyez joyeux; travaillez à votre perfection; encouragez-vous. Ayez même sentiment; vivez en paix, et le Dieu d'amour et de paix sera avec vous.

[12] Saluez-vous mutuellement d'un saint baiser[a]. Tous les saints vous saluent.

[13] La grâce du Seigneur Jésus Christ, l'amour de Dieu et la communion du Saint Esprit soient avec vous tous[b] !

---

a) C'est le baiser liturgique, symbole de la fraternité chrétienne. Voir Rm **16** 16; 1 Co **16** 20; 1 Th **5** 26.

b) Noter l'aspect trinitaire du souhait final.

TABLE

ACHEVÉ D'IMPRIMER SUR LES
PRESSES DE L'IMPRIMERIE
DARANTIERE A DIJON, LE
QUINZE JANVIER M. CM. LIX

Numéro d'édition 4.931
Dépôt légal 1er trimestre 1959.

19231